講談社文庫

シェエラザード(下)

浅田次郎

JN285979

講談社

シェエラザード　下　目次

シェエラザード　下

ソフィアの丘

ラッフルズ・ホテルの玄関で小笠原太郎と別れたあと、土屋和夫は雨あがりの日射しがはじけ返るような、真昼の街路に戻った。

開戦と同時に、南進する日本軍の後を追うような転勤の辞令が続いた。

昭和十七年の正月に上海、わずか半年後にクアラルンプール行きを命ぜられ、日本占領下のマレー半島を息つく間もなく走り回った。

シンガポールを初めて訪れたときの印象は忘れがたい。香港や上海とは比較にならぬ整然たる秩序。しかし国際都市としての活気は、決してそれらにひけをとるものではなかった。

「昭南《しょうなん》」という、日本人の勝手な命名はいつまでたっても定着せず、華僑やマレー人はおろか、当の日本人たちも「シンガポール」と呼んで憚《はばか》らなかった。

シンガポール――サンスクリット語で言うところの「獅子の都」こそ、いかにもこの堂々たる白亜の都市にふさわしい。

今は、八千人の民間邦人が、ラッフルズの北に拡がる日本人街を中心にして住み、市内周辺には三万人の日本軍が駐屯している。

明治の建軍以来、精強無比とうたわれた広島第五師団が、マレー半島の付け根にあたるタイ領シンゴラとパタニに上陸したのは、昭和十六年十二月八日のことである。

第五師団はそのわずか四日後に、英陸軍の大防衛線ジットラ・ラインを抜き、英領マレーに殺到した。

一方、半島西岸を南進した近衛師団は、第五師団同様に自動車と自転車の機動力を駆使して英軍の堅塁を次々と抜き、破竹の勢いで半島南端のジョホール州に達した。

これに後続の第十八師団を加えた第二十五軍三個師団によるシンガポール総攻撃は二月八日である。難攻不落と謳《うた》われた要塞都市は、わずか八日間の戦闘であっけなく陥落した。

土屋和夫は日本人街を南北に貫く中央路に入った。この賑やかな通りも、公式には「中央路」と名付けられてはいるが、かつて英国人が命名した「ミドル・ロード」の方が、依然として据わりが良い。

かつて総攻撃の折、日本軍の猛烈な砲爆撃にさらされたにもかかわらず、街路には破壊の痕《あと》がなかった。

日本軍は、古くからなじみが深く、邦人居留者も多かったこの町を、無差別に攻撃しなかったのだろうか。あるいはわずか八日間で投降した英軍司令官パーシバル中将は、戦《いくさ》の勝敗よりもこの美しい都の破壊を恐れたのだろうか。

ミドル・ロードの左右には、戦などどこ吹く風の商店が軒を並べていた。マレー人が「リトル・ジャパン」と呼ぶほど、風景は日本そのものである。いやむしろ、戦時下の日本の都市には、いまやこれほどの優雅さはあるまい。そこは土屋が若い時分に慣れ親しんだ、銀座や新宿の街路そのものだった。

もっとも、市中の広大な区域がまるごと日本そのものになってしまうほど、日本人は昔からシンガポールに根を張って暮らしていた。

移民の歴史は幕末期にまでさかのぼり、明治二十二年には早くも領事館が開設されている。移民たちは華僑の向こうを張った商いのほか、ゴム園の経営、漁業、鉱山採掘、港湾関係など、多岐にわたって活躍していた。ことに大正の末年から昭和初期にかけて、商社や海運業、鉱工業の企業が進出し、社員家族が多く定住するようになった。

日英同盟を背景にした、きわめて平和的な海外への進出だった。

したがって、日本とイギリスとの戦はシンガポールの社会に大きな悲劇をもたらした。

土屋和夫は日ざかりの中央路を、北に向かって歩いた。通行人の多くは日本人だが、クアラルンプールから赴任して間もない土屋を知る者はない。すれちがう兵士たちはみな路上に足を止め、土屋の陸軍少佐の軍服に向かって敬礼をした。

中央路の風景は、やがて繁華な商店街からコンクリートのビル街に変わる。新聞社や商社、病院などが立ち並ぶ先の五叉路を過ぎれば、ソフィアの丘だ。

街は平和なたたずまいだが、この数年の間にさまざまの試練を受けた。

戦前には排日の嵐が吹き荒れた。日英の国際関係が怪しくなり始めたころは、多くの在留邦人が帰国してしまったという。

そして開戦と同時に、残った人々は敵国人として抑留《よくりゅう》され、はるかインド北部の収容所に送られた。いま日本人街に住んでいる八千人の居留民は、占領とともにチャンギの監獄から救出されたか、俘虜《ふりょ》交換によってインドから戻ってきたか、あるいは大東亜共栄圏の夢とともに日本から再びやってきた、官民とその家族たちだった。

日本人街から望むソフィアの丘は、そうしたさまざまの居留民たちすべてにとっての、象徴的な風景だった。

ソフィアの丘の上に、どうしても会わなければならない人がいた。緑豊かな山手の丘が近付くほどに、土屋の胸はときめいた。

おしきせの軍服姿をその人に見せることは、恥ずかしくもあり、誇らしい気もする。だが、そんなことはどうでも良かった。クアラルンプールから着任して以来、その人のもとを訪ねるわずかな時間すらも持てなかったのだ。

「こんにちは」

「ごきげんよう」

「久しぶりだね、元気か」

土屋は歩きながら、挨拶の言葉をぶつぶつと独りごちた。呟《つぶや》くほどに、得体の知れぬ笑みがこぼれる。

そうだ、いっそのこと西洋風に、駆け寄って抱きしめようか——。

「ごくろうさまです！」

通りすがった海軍の下士官にいきなり敬礼をされて、土屋はあわてて真顔をつくろった。

なだらかな山手の坂道を登り、日本人学校や寄宿舎の建つ涼やかな木立ちの中に、その瀟《しょう》洒《しゃ》な教会はあった。

THE SALVATION ARMY HEADQUARTERS——

玄関のかたわらに、武骨な太筆で「救世軍昭南本営」と書かれた看板が掲げてあった。

芝生の手入れをしていたマレー人の少年が、土屋に気付いて立ち上がった。表情は怯えている。占領下の教育を受けているのであろうか、少年は日本ふうに気を付けをし、わずかに腰をかがめた。

「イラッシャイマシ」

おそらく日本語の教育もされているのだろう。少年はそう言ったなり、土屋の言葉を聞き洩らすまいとするように、二、三歩あゆみ寄った。

土屋は少年のしぐさがいじらしくなって、周囲を見渡してから英語を使った。

「ハウ・アー・ユー。シスターはいらっしゃいますか」

日本軍将校の口から出た思いがけぬ英語に、少年はきょとんと目をみひらいた。

「シスター・ユリ。ミス・ユリコ・シマザキにお会いしたい」

イエス・サー、と少年は力いっぱい肯き、椰子《やし》の幹を縫うようにして駆け去って行った。

葉蔭のベンチに腰を下ろして、土屋は胸のときめきを鎮《しず》めた。

やはり平服に着替えてくるべきだったろうか。マレー人の少年が愕《おどろ》いたように、島崎百合子も軍服姿に愕き、嘆くのではないかと土屋は思った。

横浜の大桟橋《おおさんばし》で、テープの雨の中を遠ざかって行く百合子の姿が甦《よみがえ》った。あの日から四年がたつ。

敬虔《けいけん》なクリスチャンの家庭に育った百合子がシンガポールへとやってきたのは、信仰のためではないと思う。手紙には愛の告白のかわりに、聖書の言葉が書きつらねてあったが。

いかにも気丈な、意志の強い百合子らしい手紙だった。許婚《いいなずけ》という言葉は好きではないが、未来を誓い合った人と、ようやく会える。しかも戦時下の異国で。

これは神の力かもしれないと土屋は思った。

「和ちゃん――？」

振り返ると、椰子の幹からおそるおそる窺《うかが》うようにして、百合子が立っていた。純白のドレスと、長い髪をくくったナフキンの白さがまばゆい。

土屋はとっさに言いわけをした。

「軍人になったわけじゃないんだ。ちょっと事情があって」

やはり駆け寄って抱きしめる勇気はなかった。かわりに、できるだけ軍人らしからぬ笑い方をした。

とたんに百合子は、膝の摧《くだ》けるように蹲《うずくま》り、ソフィアの丘の輝かしい青空に向かって合掌をした。

土屋和夫は軍帽を脱いで目をつむり、心の中で掌《て》を合わせた。

神に対してではない。天に向かって感謝の祈りを捧げる聖女にこうべを垂れ、胸の中で合掌をした。島崎百合子は土屋にとって、目に見える神だった。

長い祈りをおえて微笑《ほほえ》みかける百合子に、土屋は最も知りたかったことを訊ねた。

「どうやって、ここに来たのですか」

白い両掌の指で涙をこそげ落としながら、百合子は答えた。

「病院船で。私、看護婦の資格を取りましたの。教員の免許だけでは、とてもここまで来ることはできそうになかったから」

女子高等師範学校を出て、国民学校の教員を務めていた百合子が、そこまでして自分のもとに来てくれたのだと思うと、土屋には返す言葉が見つからなかった。

「はじめは外地での教員の採用がないかって、ずっと探していたんですけれど、どこも児童はみんな引き揚げてしまっていてここもね、現地採用の代用教員で間に合っていたから」

「勉強が、大変だったでしょう」

口に出してしまってから、何という愚問だろうと土屋は思った。百合子の父は、埼玉の開業医だった。

「先生、お元気ですか。おかあさまも」

百合子ははにかむように俯《うつむ》いて答えた。

「私、親不孝ですね。私が外地に行くことが決まったとき、父はかんかんになって怒りましたのよ。当たり前ですけど」

「申しわけありません」

と、土屋はもういちど頭を下げた。

「やめて下さいな。私のわがままです。あなたこそ許して下さいますか」

「許すなんて、そんな」

温厚な医師の憤った顔は思いつかない。

「お国のためだとか言いながら、おまえは男のために医術を学んだのかって。図星ですけれどね」

クスッと百合子は笑った。知り合ったころから、いつも美しい笑顔を絶やさない。そしてときおりその笑顔をいっそう輝かせて、クスッと笑う。

百合子は二十七になったはずだ。苦労をかけたのだと土屋は思った。

「でも、母が応援してくれましたの。どうせ死ぬのなら、好きな人のそばで死になさいって。女の本懐でしょうにって、父を言い負かしてくれたんです」

「君は、おかあさまによく似ているね。それで、先生は納得なさったのですか」

「納得も何も、父は母に頭が上がらないから」

もういちどクスッと笑ってから、百合子はふいに笑顔をとざした。

「父は、先日亡くなりましたの」

土屋は声もなく息を呑んだ。

「三月十日に、たまたま東京にいて。週に二度、墨東《ぼくとう》病院の外来に行っていたんです」

土屋は椰子《やし》の葉むらを見上げた。つき上がる感情がたちまち涙にかわった。

「病院船が出航する一週間前のことでしたから、さすがに取りやめようと思ったんですけど。父の遺品の吊り鞄の中に、私宛ての遺書があって……。何が起こっても、いちど決めたことはやり通せって、書いてありましたの。それからね、あなた宛てにも、一通――」

「僕宛てに？」

百合子はよく刈りこんだ芝生の上に立ち上がった。

「お渡ししなければ。それをお見せしなくちゃ、お話は何も始まらないような気がする」

教会の裏に続く椰子の小道を、百合子は背筋を伸ばして歩き出した。日ざかりの葉影が、純白の清楚なドレスの背に縞模様を描いて過ぎた。

少し痩《や》せたなと、土屋は思った。

見知らぬ南洋の花の咲き乱れる裏庭に、コンクリート造りの平屋があった。幼い子供らの喚声が満ちていた。

「幼稚園、ですか」

「保育所ですね。子供らはずっと泊まりこみです。敵は教会の場所を知っているから、ここは爆撃されないんです」

「君は、保母さんもやっているの」

「もう、何でも屋ですわ。炊事、洗濯、お勉強、おしめのとりかえから夜泣きの面倒まで。赤ちゃんから小学校前の子まで、二十人もお預かりしているんですよ」

土屋は日ざしの溢《あふ》れる白いテラスに目を向けた。マレー人のメイドが日本ふうのお辞儀を返した。

「何人でその面倒を？」

「日本人は私だけ。あとはあの人と、中国人の阿媽《あま》がひとりいます。二人ともたいそうよくやって下さるんですよ。混血の子供らが多いから」

土屋は遊び回る子供らの肌の色を注視した。考えてみれば、べつに意外なことではない。

多民族が雑居するこの国際都市には、日本人でも英国人でもマレー人でもない「シンガポールの子供」が、大勢いるのだ。

「でも、軍はけっこう冷たいんです。学校では同じ日本語の教育を受けさせているのに、混血の子らは安全な場所に疎開させてくれないの。ブキテマ高地の方に、いい施設があるんですけれど」

話しながら、百合子はちらりと土屋の軍服に目を向けた。

「ああ、気にしなくていいんです。いろいろと事情があって、こういうなりをしているだけですから。軍人になったわけじゃありません」

百合子はにっこりと笑ってくれた。

「とてもお似合いですわ。どこから見ても南方軍の参謀です」

「メガネが似合いません。主計将校に見えますかね」

百合子は建物の玄関に立ち止まると、お道化《どけ》た敬礼をした。

「土屋少佐殿。島崎看護婦、服務中異常ありません」

「ご苦労。引き続き任務を続行せよ」

百合子にまとわりつく子供たちも、みな小さな掌を上げて嬉しそうに敬礼をした。

風通しの良い、清らかな家だった。百合子は子供らをあやしながら、土屋を北向きの小部屋に導いた。

「君も、ここに住んでいるの？」

懐かしい恋人の匂いが、整頓された室内に満ちていた。

「御茶《おちゃ》ノ水《みず》の下宿と同じ匂いがする」

「あら、そう。そんなこと、覚えていて下すったの？」

この匂いだけは、忘れてはいなかった。大家の目を盗んで何度も忍びこんだ学生下宿。

土屋は目を閉じて、百合子の匂いを胸いっぱいに吸いこんだ。

ラタンの蔓《つる》を組んだ、小さなベッド。アーチ型の窓には、レースのカーテンが翻《ひるがえ》っていた。古机の上に、横浜の写真館で撮った二人の肖像が飾られていた。

土屋は写真を手に取った。

「覚えてますか。あなたが出航する日、馬車道《ばしゃみち》の写真館で撮ったの」

この一葉の肖像だけを心の支えにして、百合子はここまでの長い道のりをたどってきたのだろうか。

「何だか、若いね。二人とも」

「四年もたつんですもの。同じだったらおかしいですよ」

写真の中の百合子は、絣《かすり》の着物にもんぺをはいている。自分は国民服だ。

「訪ねて来た人には、主人ですって言っているの。恋人だなんて、言えませんものね」

知らない人が見れば、たしかに新婚の夫婦に見えるだろう。嘘をつくたびに、百合子は胸をときめかせていたのだろうと思うと、土屋もその写真が欲しくなった。

「これ、焼増しできるかな」

「ご心配なく。横浜で、あなたの分もちゃんといただいて来ました。あと、内地の母にも一枚」

百合子は古机のひきだしを開けて、油紙にくるんだ同じ写真を取り出した。

誰かに見せたい。自分はたぶん、胸をときめかせながら解説するだろう。

(家内です。まだ子供はいないんですけど、どうです、べっぴんでしょう。御茶ノ水の女高師を出ていましてね、今は教員をしているんですよ)

百合子は机の下から丸椅子を出して、土屋に勧めた。

「ラムネが冷えています。それとも、おビール？」

「いや、それより先生のお手紙を」

百合子はひきだしの底を探って、紫色の袱紗《ふくさ》を取り出した。

「遺書を持ち歩いていたなんて、先生らしいね」

封筒には滲《にじ》んだインクの字で「土屋和夫様」と書かれていた。

「裏をご覧になって」

三月七日という日付が名前に添えられていた。

「虫の知らせ、かな」

「そうですね。父は三月七日に自宅でそれを書いて、ポケットに入れたまま九日の午後に家を出たんです。まるで運命を察知していたみたい」

「読んで、いいかな」

「あなた宛てですもの。まだ開封はしていません」

土屋はいちど頭上におし戴いてから、飯粒で貼り合わされた封をていねいに切った。

便箋に、細く几帳面《きちょうめん》な文字がびっしりと並んでいた。

和さん、お元気ですか——

親しげに語りかけるような冒頭の一行を目にしたとたん、土屋は胸がつまった。百合子の父から、面と向かってそんな呼び方をされたことはなかった。酒をくみ交わすときにさえも、必ず「土屋君」と呼んだ。

「家では、僕のことをこう言っていたの？」

土屋は遺書の冒頭を指さして、百合子に訊ねた。百合子は手元を覗《のぞ》きこんだなり、ふしぎそうに首を振った。

「お婿さんにきたら、そんなふうに呼ぼうって決めていたのじゃないかしら。——ねえ、読んで下さる。声を出して」

「あまり自信はないな……」

土屋は立ち上がって窓辺に寄り、姿勢を正して遺書を読み始めた。

「和さん、お元気ですか。遺書などとは縁起でもないが、このところ空襲も激しくなっているので、万が一に備えて君に言い遺さねばならぬことを書き留めておきます。こんなものを読む機会がなければ幸いです――」

「続けて」

と、百合子は土屋を励ました。

「――私は細かなことを言うのが嫌いなので、要点だけを簡単に言います。戦がすんで無事に帰国することができたら、必ず百合子を嫁にして下さい。それだけをしてくれるのでしたら、面倒な注文は何もつけません。すべて君の裁量に任せます。養子に来る必要もありません。信仰の道に入る必要もありません。家内はしっかり者で、亭主が死んだ後も不自由をしないだけの蓄えはあるはずですので、齢をとって病気にかかったり、体が動かなくなったら、君と百合子とで見てやって下さい。私は君にずいぶんと文句を言ったり、説教もしましたが、実は和さんの人柄がいたく気に入っております。親馬鹿が一人娘の恋人に嫉妬して、駄々をこねていただけです。一切は水に流して、悪く思わないで下さい――」

読み進むほどに、声が尻すぼみになった。百合子の父はたぶん、ふと思い立って書いたのだろう。ひそかな胸のうちを書き留めるような文章だった。

百合子の悲しげな瞳を見据えてから、土屋は遺書の続きを読んだ。

「――百合子はわがままな娘ですが、母親に似たしっかり者です。浮気とか内緒の道楽などはすぐに露見しますので、ほどほどにして下さい。しかしやさしいところは父親に似ているので、たいがいのことは勘弁してくれると思います。その点は彼女宛ての遺書にも書いておきました。まちがったことは何もせぬ石部の金吉では、かえって仕事に身も入らず、人間の幅もできません。ほどほどに、というのはそういう意味です――」

目を上げると、百合子は泣きながら笑っていた。

「おとうさん、たら……」

「続きは、黙って読んでいいかな。ちょっと耐えられそうにないんだけど」

「いいわ。私はあとで読ませてもらいます」

土屋は百合子に背を向けて、窓辺の風に便箋をさらした。

――和さん。私事はきりがないのでこれくらいにしておきます。要は夫婦相和し、幸福に添いとげて欲しいということ、それだけです。

では、一人の男として私の考えていることを、君に伝えます。

和さんも知っての通り、私は地方の医大を出た、うだつの上がらぬ町医者です。専門は小児医学ですが、そういうものでは家業が立ち行かず、外科内科の看板を上げております。どうして小児科なのかと言うと、私は幼いころ両親に死なれ、地方の素封家《そほうか》であった遠縁に育てられましたせいか、いくつになっても幼い子供が愛《いと》おしいのです。そのあたりの話は、たしか酔った勢いで口にしたことがありますね。

百合子に教員の道をすすめた理由も、子供こそが国の宝であると信ずるがゆえです。子供を痛み苦しみから救うために私は医者になりました。子供を立派な社会人とするために、百合子を教員にしました。その点については百合子も家内も、私の考えを良く理解しておるようです。

聞くところによれば、百合子は昭南で幼い子らの面倒を見るそうです。そのための欠員補充だということを日本赤十字で確かめましたので、私も許しました。

そこでお願いがあるのですが、和さんの力をできるだけ百合子に貸してやって下さい。昭南がどういう場所で、戦局がどうなっているのかは知りませんが、ともかく軍や官とつながりの強い和さんの力で、少しでも昭南の子らが危険な目に遭《あ》わぬよう、悪い病にかからぬようにしてやって下さい。これだけが公人として、男として、医師として、そしてキリスト者としての私の希《ねが》いです。それから、百合子に可愛い子供を授けてあげて下さい――


遺書を読みおえてからもしばらくの間、土屋和夫は振り返ることができなかった。

「皮肉なものだね――」土屋和夫は夏草の生い立つ庭を見ながら、思った通りのことを口にした。

「僕らが敵に回しているアメリカもイギリスもオランダも、みなクリスチャンの国なのにな」

土屋の手から父の遺書を受け取って、百合子は答えた。

「べつにこの戦は宗教戦争じゃありませんから」

「だが僕は、クリスチャンの立場でその手紙を書いている先生が気の毒でならない。はっきりと、キリスト者だとおっしゃっている」

「それにちがいはありませんもの」

「では聞くけど――」土屋は百合子に向き合った。責めてはならないと思う。しかし心の中にたぎる矛盾を、口に出さぬわけにはいかなかった。

「君は、これでも神を信じるのか。君の信じるイエスとやらは、信じる者同士を戦わせている」

おそらく自問し続けていたことなのだろう。百合子はにべもなく答えた。

「これは、試練です」

土屋は怒りを覚えた。もちろん恋人に対してではない。愚かしい戦に対するやり場のない怒りが、堰《せき》を切ったように咽元《のどもと》にこみ上げてきた。

「人を殺してしまう試練などあってたまるか。いいか、百合ちゃん。僕はイエスの教えは何も知らない。だが、はっきりとわかっていることは、島崎先生はクルスを握って亡くなり、先生を殺した爆撃機の搭乗員たちも、みな胸にクルスをぶら下げていたんだ。こんな簡単な、子供だましの矛盾を、君は神の試練だと言うのか」

百合子は悲しい瞳で土屋を見つめた。答えようのない責め方をしたと、土屋は後悔した。だが、言葉に誤りはないと思う。この世には神も仏もいないのだということを、百合子にわかって欲しかった。

「神を信じていなければ、私は生きていけないわ」

「ちがうよ、百合ちゃん。先生はキリスト者であるがゆえに命を落とした」

「どういうこと？」

「考えてもみるがいい。どうして先生は、空襲のさなかにわざわざ東京に出て行ったんだ。医者だからか。そうじゃあるまい、医者は大勢いる。埼玉の開業医である先生が、週に二度も危険を冒して墨東病院の外来に通っていらしたのは、医者だからじゃないんだ」

「いえ、父は医者でした。医師としての使命を全《まっと》うしただけよ」

百合子の語気は荒くなった。おそらく心の中のどこかで、クリスチャンとしての父の行き過ぎた行為を感じていたのだろう。

「少なくとも私がここに来たのは、クリスチャンだからじゃないの。それだけはわかって下さい」

百合子は土屋の軍服の胸に転がりこんだ。

まるでずっとそうする機会を窺っていたような不器用さが愛おしくなって、土屋は痩せた背をしっかりと抱きしめた。

「私は神を偽っています。父も、国さえも偽ってあなたのところへ来たの」

「もういいよ、百合ちゃん。ありがとう」

感情を表わすことのない気丈な百合子が、そのように乱れたのは初めてのことだった。結婚の約束を永遠に日延べして外地に赴任すると告白したときも、横浜の港で別れたときも、百合子はいつも微笑んでいた。もしかしたら薄情な女なのではないかと、土屋がふと疑うほどに。

「和ちゃん、私ね——」と、百合子は土屋の胸に顔を埋めたまま、ようやく昔の会話を取り戻した。

「私、あなたと別れてから、心の中にぜんぜん余裕がなくなったの」

「余裕、って？」

「父や母のことも、信仰のことも、自分の務めも、何ひとつ考えられなくなったの。あなたのことばかり、朝から晩まで思いつめて。どうかしてるんじゃないかって、気がおかしくなったんじゃないかって思うほど」

ありがたい告白だが、土屋には意外だった。愛の言葉のひとつすら、百合子の口から聞いたことはなかった。将来を言い交わすまでの長い交際の間も、百合子はいつも恥ずかしげに微笑んでいるだけだった。

胸に秘め続けてきた愛の重みを、土屋は目を閉じて受け止めた。

「みんながお国のために血を流している間に、私は自分のことだけを考えていた。他のことは何も考えられなかった。看護婦になったのも、外地勤務を志願したのも、自分の利欲のためだったわ」

「恋は利欲じゃない」

と、土屋は汗ばんだ耳元で、はっきりと言った。

「でも、ここに来たときね、考えたのよ。この施設にいる混血の子供らは、あなたのことなんか知らないもの。そして私は、あの子たちを救うために来たのじゃない。あなたに会いたくてここへ来た。毎日毎日、あの子らの顔を見るたびに、私はひどい女だって思い続けてきた」

「愛のために、ここへやってきたことに変わりはないさ」

百合子はまるで神の前に懺悔《ざんげ》をするように、咽を鳴らして泣いた。

「恋愛は、愛じゃないわ」

この潔癖な恋人を慰める言葉が、土屋には思いつかなかった。

「都合よく愛と名付けた煩悩《ぼんのう》よ。けだものが異性を求める本能と、どこも変わらない。私はずっと――」いっそう土屋のうなじをかき抱きながら、百合子は絞りつくすように言った。

「ずっと、一頭の牝《めす》だった」

百合子が泣きやむまで、土屋はぼんやりと南国の青空を見上げていた。

この空の下で、今も多くの命が奪われている。おびただしい血が流され、それぞれの愛を胸に抱いたまま、いくたの命がとざされている。

そんなことは物語としてすら信じられぬほどの、冴えた青空だった。

「もうどこにも行かないでよ、和ちゃん」

美しい牝の声だと、土屋は思った。こういう愛の言葉を、百合子はなぜ今日まで口にすることがなかったのだろう。

かつてたがいの下宿を訪ね、狂おしく愛を確かめ合ったときにも、百合子は決してそれを言葉にはしなかった。そして——自分もやはり同じだったと思う。二人は黙々とくちづけを交わし、肌を重ね合った。

愛を語らぬことが人間の理性であると信じていたのだろうか。だとすれば、二人を引き離した戦が、本来かくあるべき恋人たちの姿をそれぞれの心に取り戻させてくれたことになりはすまいか。

「ごめんなさい、和ちゃん。私、わがままですね」

百合子はようやく土屋の肩から顔をもたげた。赤道直下の日射しが、花のような微笑を甦らせた。

「ここの子供たちのこと、よろしくお願いします。私、せめてもの罪ほろぼしに、できるだけのことをしてあげたいの」

「何か足りないものは？」

「食べる物が粗末なの。配給品はみんなブキテマの施設や小学校の寄宿舎に行ってしまうから。軍はここの子供たちを日本人として認めてくれない」

吹き抜ける風に乗って、混血児たちのはしゃぐ声が聴こえてきた。

ふと、土屋は暗鬱《あんうつ》な気分になった。遠からず戦が終われば、あの子供たちはどうなってしまうのだろう。もともと抗日運動のさかんだったシンガポールで、彼らの生きていく方法はあるのだろうか。

「とりあえず、できるだけのことはする。ご覧の通り、僕は軍人ではないのに軍服を着ている。今の立場なら無理はきくから」

しかし、当面やらなければならないことはそれではない、と土屋は思った。

百合子の父の遺書が胸に甦った。おそらく、近い将来に訪れるであろう破綻《はたん》の前に、この子供らを安全な場所に導かねばならない。

いざとなれば、純血の日本人の子らは必ず保護される。しかし食料も満足に配給されぬ混血児たちに、その保証はなかった。

「百合ちゃん。子供らのことなんだが、黙って僕のすることに従ってもらえるか」

百合子は瞳を輝かせて肯いた。ここだけの話だと前置きをして、土屋は小声で告げた。

「国際法上の安導券《あんどうけん》を持った船が、シンガポールに入港する。君の子供らを、内地に送り還そう」

その日の夕刻、土屋和夫は日本人街の南にあるノースブリッジ・ロードに面した日本料亭で、小笠原太郎と初めて食事を共にした。

クアラルンプールから着任してわずか二週間、この特務機関長についてはほとんど知らない。

わかっていることといえば、東京帝大の先輩であり、内務省の中堅官僚であり、本来は軍人の役目である特務機関長を、軍属の立場で務めている、ということぐらいである。

だが、そんなことはどうでも良かった。人柄について考えるほどの余裕は何もない。

「君とは何年も一緒に仕事をしたような気がするな」

酒を勧めながら、小笠原はそう口を開いた。

「まったくです。人間、やる気になれば何年がかりの仕事も、二週間でできるということでしょう」

とりあえず二人は、理由なき乾杯をした。

小笠原太郎は、自分と同じく陸軍将校の防暑服を着ている。しかし、それは任務遂行上の便宜的なもので、表情も話す言葉もやわらかな文民だった。

軍人ではないということだけで、土屋は小笠原を信用していた。それくらい南方軍や方面軍の参謀たちには、不信感を抱いていた。

小笠原は厚いメガネを押し上げながら、溜息とともに言った。

「きょう、方面軍の板垣閣下から言われた。南方軍の使命は、草むす屍《かばね》となって、日本本土決戦に対し、外側より敵を牽制《けんせい》することなのだそうだ」

「はあ……」

当たり前の使命だが、土屋はその言葉の一言一句について考えこんだ。

つまり日本本土が戦場になっても、インドシナ、マレー半島、スマトラ、ジャワ、ボルネオなどにほとんど無傷で残る南方軍は、自給自足の軍団となって戦う、という意味だろう。

「もっとも、それは寺内軍司令官閣下のご意思だと、板垣大将は言っておられたがね」

小笠原は侮《あなど》るような笑い方をした。

「玉砕覚悟で、ということですか」

「まあ、そういうことだ。このシンガポールにいる日本人は、三万の軍人も八千人の在留邦人も、運命は一緒だという意味だな」

「玉砕、ですか。ピンときませんね、どうも」

土屋は二階の障子を開け、たそがれの日本人街を眺めた。

平和な風景だった。シンガポールが初めて米軍機の空襲を受けたのは去年の十一月のことで、それも目標は北部の軍事施設に限られていた。

市内にもごくたまに爆弾は落とされたが、誤爆なのか残弾処理なのか、目標を定めているふうはなく、被害も少なかった。

戦が遠い所で行われていると感じるのは、自分ばかりではあるまい。

「軍人の数が、このところ急激に増えているような気がしますが」

小笠原は肥りじしの軍袴《ぐんこ》の腹をゆるめながら答えた。

「ああ。占領当初からの昭南防衛隊に加えて、ラバウルの第八方面軍から一個師団が来た」

「四十六師団ですね。編制はどこですか」

「熊本だ。どうりで強そうな兵隊ばかりだな。まあ、はるばるラバウルから転進して来たのだから、運も強いのだろう」

軍隊のことを語るとき、小笠原の口調は決まって侮蔑的になる。軍人の愚かしさを、いやというほど見せつけられてきたせいだろうか。

「だがそればかりではない。もうじきスマトラの第二十五軍から、独立混成旅団が到着する。それでわが第七方面軍の編制は完結、というわけだ。総兵力三万。精強な軍隊にはちがいない」

小笠原の言わんとしていることが、ようやくわかった。日本軍はこのシンガポールを徹底抗戦の要塞にしようとしている。

「難攻不落のシンガポール、というわけですか」

難攻不落——それは開戦当初、シンガポール陥落を報ずる新聞の紙面に、いっせいに躍った言葉だった。

「たしかに、地形的には難攻不落の都市要塞と言える。だが考えてもみたまえ、山下将軍はシンガポールを、わずか八日間の戦闘で陥落させた」

小笠原太郎はふいに背筋を伸ばして、朗々と軍歌を唄い始めた。

一番のりをやるんだと
力んで死んだ戦友の
遺骨を抱いて　今入る
シンガポールの　街の朝

男だ　なんで泣くものか
嚙んでこらえた　感激も
山からおこる　万歳に
思わず　頰が濡れてくる

負けずぎらいの　戦友の
かたみの旗を　とり出して
雨によごれた　寄せ書を
山の頂上に　立ててやる

友よ見てくれ　あの凪《な》いだ
マラッカ海の　十字星
夜を日についだ　進撃に
君と眺めた　あの星よ

シンガポールは　陥《おと》しても
まだ進撃はこれからだ
遺骨を抱いて　俺は行く
守ってくれよ　戦友よ

途中から声を合わせて唄いながら、土屋の胸はやり場のない怒りで熱くなった。
酒の回らぬうちに、土屋は言わねばならぬことをありていに打ちあけた。

自分を追ってシンガポールまでやってきた恋人のこと、ソフィアの丘の混血児たちのこと――。

どこまでをどのように話すべきかと思案していたのだが、小笠原の軍歌を聞いたとたん、何もかも包みかくさず言うつもりになった。

はたして鷹揚な内務官僚の上司は、丸顔に満面の微笑をたたえながら土屋の話を聞いてくれた。

「申しわけありません。公私混同してしまって……」

土屋は興奮をおしとどめることができなかった。戦が続くにせよ終わるにせよ、シンガポールがどのようなことになるにせよ、最も苛酷な運命を担わされる混血児たちを、どうしても内地に送還せねばならないと思った。

すべてを聞きおえると、小笠原太郎は煙草をくわえたまま、しばらく天井を見上げた。

「土屋君――」

厚いメガネの奥の明晰《めいせき》な瞳が、土屋を捉えた。

「それは、罪ほろぼしではないのかね」

「罪ほろぼし、ですか」

どういう意味なのだろう。百合子に対する自分の罪ということか。

「君がシンガポールの華僑やマレー人の商人に対して行ったことの、贖罪《しょくざい》のつもりではないのか」

殴り倒されたような気がした。

まったく考えてもいなかったが、実はそうなのかもしれない。

自分は日銀職員の肩書きをひけらかして、親日派の華僑たちから財産をまき上げた。早晩紙切れになる軍票と引きかえに。

国家の命令は正義であると自分に言いきかせながら、莫大な金塊を集めた行為が実はどれほどの悪業であるか、自分は正確に知っていた。正義の二文字で封印された胸の中では、良心が叫び声をあげていたのだ。

「どうなんだ」

土屋は肩を落として肯いた。さして考えるまでもなく、混血児たちを救おうとする意志のみなもとは、良心の呵責《かしゃく》であったことに気付いたのだった。それは、百合子への愛でも、百合子の父の遺言でもなかった。混血児——すなわち純血のシンガポールの子らを救うことで、せめてものつぐないをしようとしたのだ。

じっと土屋の坊主頭を見据えてから、小笠原は思いがけぬことを言った。

「よし。それならばいい——」少し間を置いて、小笠原は臆することなく敵性語を使った。「プライベートな理由ならば拒否するつもりだった。だが君の考えは、パブリックなものだ。協力は惜しまない」

小笠原は盃を一息にあおると、軍服から手帳を取り出した。

「メモを取りたまえ――」土屋は正座をして手帳を開いた。

「いいか、この計画は実行の間際まで決して洩《も》らしてはならない。弥勒丸で帰国する者の人選はすでに始まっている。みんな必死だ。なにしろあの船は、安全に日本にたどり着くことのできるただ一隻の船、すなわちノアの箱舟だということを忘れてはならん」

小笠原は卓の上に身を乗り出し、土屋の顔を手招いて続けた。

「弥勒丸は明日、シンガポールに入港する。セントーサ島のシロソと、チャンギの監獄に収容されている英軍捕虜、そして抑留市民たちのための援助物資をおろし、ジャカルタへと向かう。ムントクのオランダ人収容所を経由して帰ってくるのは、およそ二十日後だ。つまり、根回しをするのは、その二十日の間……」

土屋はメモを取る手を止めた。八千人の在留邦人のすべてが熱望する弥勒丸の乗船。そこに混血児の子供らを乗せる方法が、はたしてあるのだろうか。

「弥勒丸には、いったい何人が乗れるのですか」

小笠原は額に手を当て、もう片方の指先で算盤《そろばん》をはじくふうをした。

「排水量は、一万七千トンか。船倉には例の物資と、錫《すず》、ボーキサイト、生ゴム……どれもカムフラージュには過ぎんがね。それでも、二千人は乗りこめると思う」

「二千人！」

意外な数字に、土屋は声を上げた。

「愕《おどろ》くにはあたるまい。弥勒丸級の船なら、客室も百はくだらないだろう。だとすると一室に五人収容しても、キャビンに寝起きできる数だけで五百。そのほか船倉、食堂、廊下、浴室から娯楽室まで、収容面積は客室の四倍はあると思う。どうだ」

「あいにく私は、海外航路の豪華客船というものには乗ったためしがなくて」

だが、上海航路で乗った小型の客船も、香港航路の貨客船も、キャビン以外の余分な空間は多かったように思う。客室の四倍と言われればそんな気もする。

「まあ、明日方面軍司令部に行って、そのあたりは確かめてくるとしよう。ともあれ軍としては、できるだけ多くの民間人を内地に還送するつもりでいる。問題はその人数よりも、どうやってその中に二十人の混血児を加えるかだ」

「いい方法がありますか」

「わからん。ただし相当に無理な話であることにちがいはない」

「お願いします」

と、土屋は畳の上ににじり下がって手をついた。

「おいおい、水くさいことはするな。罪の意識は僕も同じなんだから」

そう言うと小笠原太郎は、大声を上げて笑った。

サザンクロス

「ハーフ・アヘッド。半速前進」

双眼鏡を左舷前方に据えたまま、森田船長は命じた。

「ハーフ・アヘッド。半速前進」

一等航海士が船内電話の受話器を取って機関室に伝えた。

水平線がうっすらと白みかかる海上を、敵の魚雷艇が併走している。

「どうするのですか」

と、正木中尉は船長に訊ねた。

「船足を落として様子を見ましょう。何をしようというわけではなさそうだが、ともかく魚雷を積んだ敵にはちがいない」

正木は機関回転計を見上げた。左右舷機の回転を示す針が急激に下がり始め、弥勒丸はそうとわかるほど敏感に船足を落とした。その分、敵の魚雷艇は追い抜くように左舷の舳《へ》先《さき》に滑り出た。

「やり過ごしましょう、船長」

正木は双眼鏡で魚雷艇の船尾を追いながら言った。

「そうだな。そうしよう。――スロー・アヘッド。微速前進」

一等航海士は再び受話器を取り、転把《てんぱ》を回した。

「スロー・アヘッド。微速前進」

魚雷艇は弥勒丸の速度に合わせて、また左舷を後退してくる。おびただしい舷側の光の中に収まると、珍しげにこちらを見る米兵の表情まで、はっきりと視認できた。

「笑っていますよ、船長」

「豪華客船の見物というわけか。暇だね、敵さんも」

船長は苦笑したが、正木の胸にはこらえきれぬほどの怒りがこみ上げてきた。

「いったいどういうつもりなんだ。こっちは戦死者まで出ているというのに、条約違反を犯したうえ、見物ですか。外務省に抗議電を打たせましょう」

無線室に行こうとする正木の腕を、森田船長が摑《つか》んだ。

「まあ、もう少し様子を見よう。攻撃をしかけるふうではないし、哨戒《しょうかい》中にこの船に出会えば敵だって見物したくはなる」

魚雷艇はかれこれ小一時間も、小判鮫《こばんざめ》のように弥勒丸の左舷に張りついている。太平洋航路の豪華客船を見物しているのにはちがいないのだが、門司《もじ》を出港した翌朝に突然敵艦載機の攻撃を受けた記憶は、まだ生々しかった。

「いちおう、見張り要員を残して甲板員は避難させておこう。それから、伝令を二名」

一等航海士は受話器を置くと、伝声管に向かって大声を出した。

「左舷甲板員は船内に避難せよ。伝令要員二名、艦橋《ブリッジ》まで！」

魚雷艇の狭い甲板には、いつの間にか五、六人の水兵が立っていた。ひやかし半分に指笛を吹き、何ごとかを叫んでは笑い転げている。鬼畜米英という言葉が、正木中尉の脳裏にうかんだ。

「乗組員たちは休ませてもよろしいのではないですか」

一等航海士が船長に訊ねた。闇の中からふいに接近してきた魚雷艇のために、総員起こしの命令が出されていた。

「いや、万が一ということもある。夜が明ければ友軍機が来るかも知れんしな」

「それは危険ですね。この距離で戦闘開始ではたまりません」

言いながら正木中尉は艦橋の裏側の海図室に入った。

現在位置――北緯三度一〇分、東経一〇二度二九分。シンガポールは間近である。海図を目で追って、正木は唇を噛んだ。たった一隻の魚雷艇が、声を出せば南方軍の陣地にまで届きそうなこの沿岸に、わがもの顔で遊弋《ゆうよく》している。南シナ海の制海権は、完全に敵の手中にあると思うほかはなかった。

艦橋に駆けつけたとき、海図室に立ちつくしていた船長と一等航海士の失意の表情が思い出された。海軍士官である正木の手前、口にこそ出さなかったが、彼らはまず現在位置を確認し、絶望したのだろう。夜が明ければ友軍機が来るかもしれないと、森田船長は希望をこめてそう言ったのだ。

魚雷艇の天敵であるはずの南方軍の隼《はやぶさ》を、敵は怖れてはいない。もはや脅威に感じられぬほど、制空権も敵に奪われているのだろうか。

正木は海図から目を上げ、壁に貼られた南シナ海の地図を見た。

フィリピン——天王山と呼ばれた比島決戦で、海軍は多くの航空機を喪《うしな》った。おそらくその損害は、陸軍機とて同じことだろう。

軍服の肩に手を置かれて、正木は振り返った。堀参謀が厚い胸を押しつけるように耳元で囁《ささや》いた。

「何を考えておるか。船員たちが動揺するぞ。気合を入れろ」

正木は壁に向き直って背筋を伸ばした。

「申しわけありません。つい——」

「貴様が考えていることは、船長も航海士も、もちろん俺も同じだ。考えてどうなることではあるまい」

「ごもっともです。以後、注意します」

「いいか、ただひとりの海軍士官である貴様を、みんなが頼りにしているのだ。貴様がうろたえれば士気にかかわる」

振り返ると、水平線に旭日《きょくじつ》が昇り始めていた。みるみるうちに、操舵室は橙《だいだい》色に染まった。

「ほう……どうやら敵さん、見物にも飽きたようだ。フル・アヘッド。全速前進」

船長は人々を見渡してから、航海士に命じた。

「フル・アヘッド。全速前進！　警戒解除！」

一等航海士は電話機と伝声管に向かって、声を張り上げた。

正木と堀少佐は海図室を出て、左舷の窓に駆け寄った。灰色の魚雷艇は船首を持ち上げるようにして全速で去って行った。

「伝令！」

と、甲高《かんだか》い声を出して二人の船員が階段を駆け昇ってきた。正木の背後に立って、力いっぱい体を伸ばし、敬礼をする。二人ともまだあどけない表情の少年だ。

「村山機関員、庄野甲板員、左舷甲板長より伝令を命ぜられて参りました！」

年上らしい少年が胸をそり返らせて叫んだ。

「ああ、ご苦労。せっかくだが、もうよい。警戒は解除になった。――船長、伝令はよろしいですね」

操舵室の空気は弛緩《しかん》していた。森田船長は二人の顔を見て、にっこりと笑い返した。

「留次《とめじ》とサブか。ご苦労さん、キャビンに戻って休みたまえ」

少年たちは船長に向き直ってもういちど敬礼をしたが、気を付けをしたまま動こうとはしない。任務を与えられた緊張が解けぬふうだった。

一等航海士が笑いながら言った。

「何か使役でも命じて下さい。そうだ――おい、おまえら、中尉殿のキャビンの清掃をしろ」

堀参謀には船舶兵の当番が付いていたが、正木にはいない。いかにもそうすることを希望しているような二人の少年に、正木は声をかけた。

「では、掃除をしてもらうかな。Aデッキの三号室だ」

二人はいっそう背筋を伸ばし、年上の少年が金切声で復唱した。

「村山機関員、庄野甲板員、正木中尉殿の居室を清掃させていただきます！」

教練どおりの回れ右をして、少年たちは階段を駆け下りて行った。

ぽつりと堀少佐が呟いた。

「まだ子供だな。郵船の社員か」

航海士が測距儀《そっきょぎ》から目を上げた。

「大きい方は父親が社員です。ねえ船長、留次は経理課の村山課長の倅《せがれ》でしたね」

ああ、と船長は力の脱けた声を出した。

「もうひとりのチビの方は、一般募集した補充要員です。二人ともあの通り船の役には立ちませんから、よろしかったら当番にお使い下さい」

正木は船長の答えにふと疑念を抱いた。弥勒丸には十人ばかりの年端《としは》も行かぬ少年が乗り組んでいる。二百名の乗員の他に、あえて彼らを雇用する必要があったのだろうか。

「補充要員の募集は軍の命令でありますか」

堀参謀は侮《あなど》るように唇を吊り上げて笑った。

「そうだ。俺が宇品《うじな》の船舶司令部にかけ合って、急遽《きゅうきょ》採用した——どうした、不満かね」

「いえ。ただ不慣れな子供を採用して、どうするのかと。船乗りは職人でありますから」

答えることが面倒だというふうに、堀少佐は階段を下りかけた。

「予科練や特年兵を志願させるよりはましだろう。たとえ十人でも、死なずにすむのならその方がいい」

呉《くれ》や宇品の町の子供らの、異様なほどの熱いまなざしを正木は思い出した。

掃除道具を持って、村山留次と庄野三郎はAデッキに上がった。

四層に分かれた客室の最上階にあたるそこは、弥勒丸の聖域である。乗船したとき、水夫長に引率されてぐるりと「見物」して以来、立ち入ったことはなかった。

Bデッキから昇る回り階段の上に、剣付銃《けんつきじゅう》を持った歩哨《ほしょう》が立っていた。

「何だおまえら、こんな時間に」

歩哨は華麗な透かし紋様をあしらった手すりから、二人を呼び止めた。踊り場の大時計は午前五時を差している。

「村山機関員ほか一名、正木中尉殿の居室を掃除に参りました！」

留次が大声で申告をすると、歩哨は少しとまどった様子で「よし」と答えた。

丸いメガネをかけた、貧相な体格の二等兵だった。戦闘帽の裾の坊主刈は胡麻塩《ごましお》の白髪で、年齢はたぶん父親と同じくらいだろうと留次は思った。沢地軍曹の指揮する一個小隊はだいたいこういう兵隊ばかりだった。船舶工兵ということだが、呉の軍港でいかにも精兵という感じの彼らを見て育った留次の目には、沢地軍曹の小隊がどうしても同じ兵種《へいしゅ》には見えなかった。たぶん本物は、指揮官の沢地軍曹ひとりだけだと思う。

歩哨はAデッキに上がった二人をしげしげと眺めて、急に兵隊らしからぬ声で言った。

「君たち、いくつだい」

留次は十六ですと答え、サブは十五でありますと言った。すると兵隊はメガネの奥の瞳を三日月の形に細めて微笑んだ。

「へえ、そうか。うちの子供より一つ二つ上だな。感心、感心」

歩哨は軍袴《ぐんこ》の腰をさぐって、紙にくるんだ金平糖を留次の手に握らせた。

「いただきます」

よほど退屈していたのだろうか、歩哨は二人を引き止めるようにして、聞きたくもない倅の自慢話を始めた。県立中学の成績が良いので、来年は陸士か海兵を受験するよう周囲は勧めるのだが、父親としてはどうしても三高から京都帝大に行かせたいのだと言う。

「お国のためのどうのということではなくてね、陸士も海兵も合格者が多くなってしまって、あまり有難味がないんだよ。その点、三高は――」

「あの、掃除を始めてよろしいでしょうか。点呼の前におえておかないと」

留次に自慢話をさえぎられて、歩哨は憮然《ぶぜん》とした。

「ああ、そうか。そうだったな。じゃ、また」

敬礼をして、留次と三郎は緋色の絨毯《じゅうたん》を敷きつめた廊下を歩き出した。

「ねえ留次さん。言いたかないけど、この船に乗ってる兵隊、あんなのばかりだよね。役に立つのかな」

「絶対に攻撃されない船なんだから、あれでいいんだろう。歩哨が務まればいいんだ」

実際三十人の自称船舶工兵たちの任務といえば、船内のあちこちに交替で立哨することだけだった。

歩哨の定位置は船内の何ヵ所かに決められている。

艦橋の下、Aデッキの階段上、機関室、そして船倉の中。その他にも、右舷と左舷の甲板に一名ずつの動哨がいる。

「でも、一個小隊の頭数で割ると、あれでけっこう重労働だよな」

少し考えてから、サブが言った。

「そうか。二十四時間勤務だもんね。堀少佐殿の当番兵とか、そのほかの使役とかを除くと——ふうん、寝る間もないんか」

二人は何となく廊下の端を振り返った。倅自慢の老兵はシャンデリアの下で、おどけて手を挙げた。

Aデッキ三号特別客室。扉の前に「正木中尉」という筆書きの表札が出ていた。

「うわ。偉い人ばっかり」

と、サブはバケツを提げたまま廊下を行き来して、キャビンの居室の表札を確かめた。

「堀少佐。沢地軍曹。大山司厨長《しちゅうちょう》——あれ、中島司厨員て、誰？」

「中島——ああ、パン焼きの人だ」

「何でパン焼きがAデッキにいるの？」

さあ、と留次も首をかしげた。

「名人なんじゃないのか。この船のパンはものすごくうまいだろ」

留次が弥勒丸に乗船して一番に愕《おどろ》いたことといえばまずそれだった。世界最高の豪華客船の設備はどれも目を瞠《みは》るばかりで、大山司厨長の指揮する厨房で作られる三度の食事も頬が落ちるほど美味だったが、焼きたてのパンのうまさには仰天した。

「見習の司厨員に聞いたんだけど、中島さんて人はね、横浜の何とかいうホテルでパンを焼いていたんだって。大山司厨長ももとはそこの厨房にいて、弥勒丸が就航したときに中島さんを誘ったとか。ほら、この船はもともと太平洋航路に出るはずだったから、外人客のためにうまいパンを出さなけりゃならなかったんだよ、きっと」

パン職人はふつうの司厨員とはちがうのだろうと留次は思った。そういえば中島は、大山司厨長と同じような丈の高いコック帽を冠《かぶ》っている。司厨長と同格というわけではなかろうが、少なくとも他のコックたちとは別格なのだろう。

「そうそう、司厨員じゃなくって、特別の呼び方があるんだ。ほら、何て言ったっけ、べべ」

サブはもどかしげに指を振った。

「べ……ああ、ベーカー、か」

「そう、みんな中島さんのことは呼びつけにしないよ。船長も航海士も、ベーカーって呼んでる」

出航してすぐ、船内で敵性語を使うなと言う堀少佐と、乗組員たちの間でひともめあった。どのように決着したのかは知らぬが、相変わらず船内では「デッキ」も「ラウンジ」も「ダイニング」も「エントランス」も健在である。大山司厨長は「シェフ」で、中島は「べーカー」だった。

「誰だ。やかましいぞ」

突然五号室の扉が開いて、噂の中島司厨員が顔を出した。

「あっ、どうも。村山機関員ほか一名、正木中尉殿の居室を掃除に参りました」

二人の少年は力いっぱい気を付けをし、掃除道具を投げ出して敬礼をした。

拍子抜けのするのどかな声で、中島は言った。

「掃除？……いいよ、そんなこと。正木中尉は自分でやるから」

「一等航海士の命令ですけど」

余計なことを、とでも言いたげに中島は舌打ちをした。

「命令なら仕方がないな。待ってろ、鍵は俺が持っている」

どうして正木中尉の居室の鍵を中島が持っているのだろう。事業服に着替え、鍵を握って廊下に出ると、中島は嚙《か》んで含めるように言った。

「あのな、中尉さんの部屋にはお客がいるから、手早くすませろ。それからそのお客のことはよそではしゃべるな。いいか」

「お客さん、ですか……」

「そうだ。なあに、おまえらだって知ってるよ。見ればわかるさ」

中島吾市は眠そうなあくびをして廊下を横切り、正木中尉の居室の扉を軽く叩いた。

「おはよう、ターニャ」

鍵を開ける。扉のすきまから甘い匂いが漂い出た。

「やあ、起こしちゃったか。部屋の掃除をしてくれるそうだ。わかるか、掃除。ソ、ウ、ジ」

戸口に立ったまま、中島は両手でほうきを使う仕草をし、にっこりと笑った。

「そうか、おまえら同い年ぐらいなんだな。知っているだろ、ターニャだ」

掃除道具を握ったまま、留次とサブはおそるおそる室内を覗いた。

金髪の少女が、まるでてるてる坊主のように白い敷布にくるまって、寝台の上に座っていた。ナホトカから密航して一騒動おこしたロシア人だ。

「あれ……まだいたんですか」

そんなことはすっかり忘れていた。どうしてその少女が正木中尉の部屋にいるのかということより、留次は丸窓から射し入る朝日の中できらきらと輝くような、少女の美しさに見とれた。

「白系ロシア人の囚人なんだ。おまけに密航者だし、門司で領事館に引き渡したらかわいそうだろう。高雄でも香港でも機会がなくてな。いずれにしろ、昭南で何とかするつもりなんだが」

何だか金縛りにでもかかったように、留次は足が動かなくなった。

「留次さん……俺、目がつぶれちまいそうだ」

　サブがようやく言った。

　土屋和夫と小笠原太郎がノースブリッジ・ロードの日本料理屋を出たのは、夜も九時を回ったころだった。

　灯火管制をされた日本人街は、夜空が青く見えるほどの闇である。黒い帳《とばり》をくぐって料亭を出ると、二人は目が慣れるまでのしばらくの間、立ち話をした。

「ともかく明日になれば、弥勒丸が入港する。人員と物資との積載量については、そのとき正確に算出されると思う。あとは弥勒丸がジャカルタからもういちど戻ってくるまでに、内地に還送する人間の選定をしなければならん」

　と、小笠原は小声で今しがた話し合った内容をまとめた。

「うまく行くでしょうか」

「何としてでも、なさねばならんだろう。君がそんな弱気では困るよ」

　立派な人物だと、土屋和夫はあらためて小笠原の横顔を見つめた。混血児の安全を優先するなどと、軍人は決して思うまい。いや、文官たちも、日本人会もおそらく考えはしないだろう。

「くり返して言うが、僕は君の個人的な事情を斟酌《しんしゃく》したわけではないよ。人命を救おうとする場合、弱い順番に行うのは当然のことだ」

小笠原はシンガポールの市民たちの中で最も弱い者は、日本人と現地人の間に生まれた混血児だと、即座に判断を下した。

「隊長殿、実は――」

「実は、何だね」

「自分は隊長殿のことを、それほどまでに信じてはおりませんでした」

「そうか？　――まあ、知り合って二週間しかたっていないのだから、無理はない」

「だからここに来る道すがら、どこまでをどのように話そうかと、それぱかり考えていて。まともにかけ合ったのでは一言ではねつけられると思っていたんです」

「まともにかけ合って通らぬものが、策を弄《ろう》して通るはずはないよ。それは官僚としての僕の信条でもある。たとえばだね、君の言い方にほんの少しでも策や嘘があると気付いたなら、僕はそれこそ一言ではねつけただろう。交渉とはそういうものさ」

戦を無事に乗り越えることができたなら、この内務官僚はいずれきっと、大臣か首相になるだろうと土屋は思った。

若い時分ヨーロッパに留学し、欧米人の知己《ちき》も多いという。混血児を社会的な弱者だとする見識は、きっとそうした経験に培《つちか》われた視野の広さによるのだろう。

「ひとつだけ言っておくが、土屋君」と、小笠原は防暑帽の庇を上げて土屋を見つめた。

「この件を私的なものだと思ってはいけない。私情がからめば大事は成就《じょうじゅ》しない。君の恋人がかかわっているかどうかはともかくとして、混血児を還送することはわれわれの任務だ」

土屋は略帽《りゃくぼう》を脱いで、深々と頭を垂れた。

「おいおい。私情をからめてはいかんと言ったばかりだろう。やめたまえ、軍人にそんな挨拶のしかたはないぞ」

そう言われても、土屋は頭を上げることができなかった。混血児たちの安全を図ることは自分たちの任務かもしれない。しかしそれが恋人の依頼であるのは紛れもない事実なのだ。私情がからんでいないといえば嘘になる。

小笠原太郎は両手で支えるようにして、土屋の肩を起こした。

「さあ、そうと決まれば明日から戦闘開始だ。うかうかしてはおれんぞ。——ところで、僕はラッフルズに帰るが、君はどうするね」

ノースブリッジ・ロードの西の夜空に、白亜のラッフルズ・ホテルがそそり立っていた。

「どうする、とは?」

「つまり何だ、ソフィアの丘の救世軍施設に、ことの次第を伝えてやらねばならんだろう」

「いえ、それは明日にでも」

厚いメガネの奥で、小笠原の瞳が笑っていた。

「明日? ——善は急げだ、今晩中に教えてやりたまえ」

四年ぶりなのだろうと、小笠原の瞳は言っていた。

「何から何まで気遣っていただいて――」

「さあ、行きなさい。僕はぶらぶら歩いて帰る。明日は九時から会議を開く。寝坊するなよ」

言いながら小笠原は、手を挙げて歩き出した。

「ごくろうさまでした」

「ごくろうさん！」

百合子は自分を待っているだろうかと、土屋は思った。四年の間、夜ごと百合子の夢を見た。戦局が不利になるにつれ、思いは狂おしくつのっていった。

もう生きて再び会える日は訪れないだろうと考え始めていたところに、百合子の手紙がクアラルンプールから回送されてきたのだった。自分が軍の命令で着任したシンガポールに、百合子も足かけ四年の歳月をかけてたどりついたのだ。

「隊長サン」

道路の向かいに人力車を停めて、煙管《きせる》をくわえたまま車夫が呼びかけた。

「隊長サン、ドチラ？」

中国人の車夫は、兵隊をみな「隊長サン」と呼ぶ。

「ソフィア・ロードの救世軍まで。わかるかね」

梶棒《かじぼう》の間にしゃがみこんで、車夫はじっと闇に目を凝《こ》らしている。言葉が通じないらしい。

「フォア・ソフィア・ロード。ザ・サルベーション・アーミィ」

「オール・ライト。ドウゾ、隊長サン」

土屋は通りを横切って人力車に乗った。

中国人の車夫は梶棒を回すと、夜の街路を勢いよく走り出した。棕櫚《しゅろ》の網笠が躍り、たくましい首筋にたちまち玉の汗が流れる。車夫は日本人街の目抜きの中央路を、まっすぐに北へと走った。

「スローリィ。急がなくてもいいぞ」

声が届かないのだろうか、車夫の足にはいっそうの力がこもった。

灯の消えた街路を何げなく振り返って、土屋はひやりとした。人力車の後を、並木に身を隠すようにして人影が追ってくる。それも、両側に二人。

ふいに車夫は梶棒を直角に回して、ウォータールー・ストリートに入った。道がちがう。日本人街もこのあたりを脇に入れば、雑多な異民族の町に溶け込んでしまう。行く手にヒンズーの寺院が見えた。白亜の石造りの、スリ・クリシュナ・テンプルである。

「止まれ。道がちがうぞ」

英語で言い、広東語で伝えても車夫の足は衰えなかった。不穏な人影も相変わらず追ってくる。

土屋は腰の拳銃を抜いた。

「止まれ！　ストップ！」

座席から身を起こして、車夫の背に銃口を押しつけた。ようやく車が止まったのは、ヒンズー寺院の少し手前だった。

拳銃の扱い方は内地を発《た》つときに教えられていたが、銃口を人に向けるのは初めてである。安全装置をはずすと手が慄《ふる》えた。

「ホールド・アップ」

座席から下りなかったのはうかつだった。恫喝《どうかつ》したとたん、手を挙げると見えた車夫は勢いよく梶棒をはね上げた。座席がぐるりと後転し、土屋はもんどりうって地面に叩きつけられた。

車夫は裏声の悲鳴を上げて闇の中に走り去った。

路上に伏せたまま拳銃を構える。左右の街路樹の蔭に、やはり棕櫚の網笠をかぶった人影がある。鼠《ねずみ》のように、幹から幹へと影は動いた。左の影は梶棒を、右の影は肩からロープをたすきがけにし、手にも荒縄の束を握っていた。銃を持っている様子はなかった。

人ちがいではあるまい。何者かが自分を生け捕りにしようとしている。ノースブリッジの料理屋から出てくるところを待ち伏せていたのだ。ふと、小笠原は大丈夫だろうかと思った。

　路上に伏せた土屋を、二つの影は左右から挟みこむ形になった。棍棒を振りかざして躍り出ようとしたとたん、左の影は身をすくめるようにしてマレー語の声を上げた。右の影も金切声を出した。二人は標的が拳銃を持っていることに初めて気付いたようだった。

　謎の男たちは任意の日本軍将校を拉致《らち》しようとしているのではなく、日銀の土屋和夫を捕えようとしているのだ。

　土屋は軍服を誇示するようにして立ち上がると、男たちの頭上に向けてたて続けに引金を引いた。

　的ははずしたつもりだったが、撃ちなれぬ拳銃は大きく頭上にはね上がった。

　棕櫚の網笠をかぶった二つの影は、棍棒も縄束もその場に放り出して、たわいもなく逃げ去ってしまった。土屋和夫は星を射るように、さらに二発の銃弾を撃った。

　拳銃を構えたまま後を追うように走り、土屋ははたと立ち止まった。

　一直線に続くウォータールー・ストリートのどこにも男たちの影は見当たらなかった。だとすると——左側にそびえるスリ・クリシュナ・テンプルの壁の中に、彼らは逃げこんだのではあるまいか。

　ヒンズー寺院の白い建物は、土屋の詮索を拒むように静まり返っている。

　背筋が凍えた。占領下のシンガポールには、日本軍の立ち入れぬ聖域がたくさんあった。

多くの民族が、それぞれの文化と生活習慣を大切に守りながら暮らしているこの国際都市では、ヒンズー寺院やイスラムのモスクや道教の観やカソリックの聖堂は、決して手を触れてはならぬ場所なのだ。軍の臨検はおろか、日本人の立ち入りさえ許されぬそれらの聖域の中で、いったい何が行われているのかは知る由《よし》もない。

土屋は逃れるように踵《きびす》を返して走り出した。市内のいたるところに存在するそれらの寺院は、スパイのアジトなどという生やさしいものではあるまい。それらはおそらく、抗日の砦《とりで》だ。

事情はサイゴンもジャカルタもクアラルンプールも同じだろう。いかに無傷の精鋭を擁した南方軍が徹底抗戦を叫んだところで、虫食いだらけの都市を守りきれるはずはない。

戦時下にあることなど少しも感じさせぬ静まり返った夜が怖ろしかった。椰子の街路樹が夜風を孕《はら》んで、愚かしい日本人をあざ嗤《わら》っているような気がした。

中央路の方角からトラックが走って来た。

土屋の姿を認めると警笛を鳴らし、助手席から将校が身を乗り出して叫んだ。

「土屋少佐殿でありますか！」

土屋はほっと胸を撫で下ろした。まさしく地獄に仏である。昭南防衛隊の憲兵だ。

荷台から数人の兵が飛び下りた。

「おけがは？」

と、分隊長らしい大尉が言った。

「大丈夫だ。発砲したら武器を放り出して逃げた」

土屋が指さす方角に向かって、憲兵たちは銃を構えて駆け出した。

「なぜわかった」

大尉は周囲の闇に目を配らせながら答えた。

「軍司令部の小笠原大佐殿が、暴漢に襲われまして」

「なんだと。で、ご無事か」

「かすり傷です。土屋少佐殿が危ないというので、探しに出た次第であります」

土屋は目をつむって息を抜いた。

「状況をお聞かせ下さい」

憲兵大尉は手帳を開いて、土屋をトラックの前灯に導いた。

土屋はノースブリッジ・ロードの料理屋を出てからのいきさつを詳細に話した。

「車夫は支那人だ。二人の暴漢はおそらくマレー人だと思うが」

「顔をご覧になったのですか」

「いや、見えなかった。ただ一言ふた言、マレー語のやりとりをしていたように思う。逃げ去るときの悲鳴も支那人のものではない」

土屋は路上を振り返った。ヒンズー寺院に逃げこんだ可能性について、安易に口にすべきではないと思った。

寺院に対する臨検は軍の懸案である。だがそれを実行すれば、市民たちから猛烈な反日感情が湧き起こるにちがいなかった。抗日組織がその禁忌《きんき》を楯にとっているのは明らかだが、軍もまた機会を窺《うかが》っている。自分にふりかかった災厄《さいやく》が、もしかしたら大虐殺に発展するかもしれないと思えば、とっさに彼らの行方を口にするわけにはいかなかった。

すべては小笠原に相談しようと土屋は思った。

「このところどうも怪しいやつらが多くて。ジョホール水道を越えてくることはないので、市内に地下組織があるとしか考えられんのですが」

憲兵大尉は拳《こぶし》を振って、部下たちを呼び戻した。

「被害はあるのかね」

「いや、正面きって攻撃をしかけてきたのは今夜が初めてであります」

なぜ小笠原と自分とが狙われたのか、憲兵は問い質《ただ》そうとはしなかった。おそらく二人の任務を知っているのだろう。

「港とクラーク・キーの周辺に、不審な男たちがうろついております。どうかお気を付け下さい」

「港とクラーク・キー、だと？」

土屋はひやりとした。特務機関、港、クラーク・キーの三つをつなぎ留めるものといえば、「弥勒丸」に他ならない。物資の集積は、すでに抗日組織の知るところなのだろうか。

「不審な連中の多くは支那人なのですが。先程の賊はたしかにマレー人でしたか」

「まちがいない。マレー語を聞いた」

またひやりとした。

ヒンズー教の信者はインド人である。マレー人の宗教はイスラム教で、その色分けは例外のないほど歴然としている。

自分を襲った二人のマレー人がヒンズー寺院に逃げこんだということは——想像をめぐらせて土屋は暗欝な気分になった。

つまり、シンガポールに跳梁《ちょうりょう》する抗日組織は、すでに民族も宗教も超えた、堅固で巨大なものになっているのではないのか。

兵たちが残置された武器を持ち、人力車を引いて戻ってきた。

藍色《あいいろ》の夜空に輝く不吉なサザンクロスを、土屋はぼんやりと見上げた。

憲兵は土屋をソフィアの丘の救世軍本部まで送り届けてくれた。

「司令部にお戻りになる時間をお知らせ下さい。車を回しますので」

木立ちの中に佇む礼拝堂を訝しげに見ながら大尉は言った。

「いや。きょうはここに泊まる。心配しなくていい」

「――お泊まり、ですか？」

助手席から飛び下りると、土屋はそれしか考えられぬ嘘をついた。

「家内が、ここの寄宿舎で看護婦をしている。もちろん日本人だよ。赤十字の任務でたまたま昭南にやって来た」

少し考えるふうをしてから大尉は、ハアと気の抜けた声を出した。

「それはまた、偶然ですな。いや、うらやましい限りです」

「こういう場所だからまず危険はないと思うが、予備の弾を持っていたら少し分けて欲しい」

「お安いご用です」と、大尉は略衣の前盒《まえごう》から拳銃弾を取り出した。

「八ミリでよろしいですか」

弾薬の種類を土屋は知らなかった。腰から抜き出した拳銃をちらりと見て、大尉は言った。

「九四式ですな。それでしたら自分の南部式と同じ八ミリです。どうぞお使い下さい」

やはり憲兵大尉は土屋の立場を知っているようだった。弾丸を手渡すとき、およそ軍人らしからぬ土屋の顔を見つめて、大尉は意味ありげに微笑んだ。

「司令部の将校は私物の七ミリ拳銃をよく持っておりますから。それより少佐殿、ご不安でしたら護衛をお付けしますが」

「いや、それには及ばん。気持ちは有難いがね」

「では、お気を付けて。何かありましたら分隊までご連絡下さい。すぐに駆けつけます」

車は教会の庭をぐるりと回って去って行った。

こんな事件の後でも、何食わぬ顔で恋人に会おうとする自分は、どうかしていると思う。憲兵の報告を聞いた小笠原は、憤《いきどお》るかもしれない。あるいは大胆な男だと笑うかもしれない。しかし実は、膝頭《ひざがしら》の合わぬほどに怯えているのだ。この恐怖を取り除いてくれるのは、百合子しかいないと思った。

星明りの庭を歩きながら土屋は、俺は軍人ではないと自分に言いきかせた。人力車の座席で異変に気付いたとき、百合子のことばかりが心に思いうかんだ。かえりみて自分でもふしぎなのだが、それればかりを考えていた。死を意識したそのとき、心残りといえば百合子のことだけだったのだろう。

愛しているのだと土屋は思った。

闇にほんのりと浮かび上がった中庭のテラスで、百合子は夜泣きする赤児を抱いていた。

「百合ちゃん」

事件のことは決して口にするまい。

夢に見続けた恋人の白い体を抱きしめながら、土屋はどうしても言わねばならぬことを口にした。

「百合ちゃん。僕は君や君の子供らと一緒に内地には帰らないよ」

寝台に裸体を横たえたまま、百合子は一瞬身をすくませるように、土屋のうなじを抱き寄せた。

「どうして？　――そんなに大勢の人が乗れる船なのに」

全力をつくして混血児たちを日本に送還すると伝えたとき、百合子は声を上げて歓喜した。当然土屋も自分とともに船に乗るのだろうと、百合子は考えたにちがいない。

「ねえ、どうして？」

「シンガポールには八千人の在留邦人がいる。彼らをさしおいて、僕が帰るわけにはいかない」

「あなたは軍人じゃないわ。在留邦人のひとりじゃないの」

おそらく小笠原は、物資調達の責任者として、帰国者の中に自分を加えるだろう。だがその命令だけは拒否しなければならないと土屋は思っていた。

土屋が弥勒丸に乗らずにシンガポールに残ることは死を意味する。だがそれは仕方のないことだった。

「僕は軍属だ。特務機関員としていろいろなことをやった。それはシンガポールの人たちからすれば、殺しても殺し足りないほどの悪いことなんだ」

謎のマレー人たちに狙われたとき感じた恐怖は、それにちがいないと土屋は思った。

「和ちゃん、死ぬの？」

ぽつりと百合子は耳元で呟いた。

「わからない。生きたいと思うけど」

「あなたは軍人じゃないわ。死ぬ理由はないわよ」

「生きる理由は、あるのか」

とたんに百合子は、激しく土屋の唇を吸った。熱く狂おしい接吻だった。

「これを、あなたの生きる理由にして下さい。お願いです」

土屋はきつく目を閉じて、額を百合子の頬にあずけた。

「人を愛することが生きる理由になるのなら、戦など起こりようはないじゃないか。少なくとも、死ぬまで戦う人間は一人もいやしない。誰だって、誰かを愛しているんだから」

それは国と個人とを秤《はかり》にかけることなのだろう。そんな秤が自分の中にあるのなら、良心の痛みを覚えるような任務は、何ひとつしなかったと思う。避ける方法はいくらでもあったはずだ。

「抱いてよ」と、言い争うかわりに百合子は囁いた。

「抱いてよ、和ちゃん」

燃える体の奥底から、しぼり出すような声で百合子はもう一度言った。

不吉なサザンクロスが、窓辺の夜空に輝いていた。

「ドーブラエ・ウートラ」

ロシア人の少女は寝台の上で敷布を抱えこんだまま、にっこりと笑った。

「あれ、ご機嫌だな、ターニャ。ははあ——おまえらが子供だからだよ。同い年ぐらいだろう」

「自分は、もう十五です」

と、庄野三郎は憮然として中島吾市に言った。

「同じじゃないか」

少女はどこから見ても十五歳とは思えない。中島はきょとんと目を瞠る少年たちと、彼らに向かって親しげに微笑みかけるターニャを見較べた。

「白人はみんな、育つのが遅いんだ。おまえらの齢までは日本人よりずっと小さくて、十七、八ぐらいから急にでかくなる」

「へえ……こいつが、俺と同じねえ」

サブは信じられぬというふうに、事業服の首をかしげた。

「ドーブラエ・ウートラ」

おはようございます、と少女は言っている。村山留次にはその言葉がわかった。

「ドーブラエ・ウートラ。カーク・ヴァーシェ・ズダローヴィエ」

唇から忘れかけていたロシア語がすべり出た。留次自身も愕いたが、中島もサブも、ぎょっと留次を見つめた。

「なんだおまえ、ロシア語しゃべれるのか」

「しゃべるってわけじゃないんですけど……自分、子供のころ函館にいたことがあるから」

「いま何て言ったんだ」

思わず口に出た言葉の意味すら考えねばならぬほど、それは遠い昔に覚えたものだ。

「ええと、おはようございます。ご機嫌いかが、かな」

幼い日々の記憶がふと甦った。

留次は帝国郵船の社員である父の転勤先で生まれた。十歳まで過ごした函館の町には、革命政府に追われた白系ロシア人が大勢住んでいた。ことに港に近い社宅のすぐ隣は、亡命ロシア人の居住区になっていた。

ロシア人の焼くパンを毎朝買いに行き、ロシア人の子らと遊んだ。父は仕事がら、決して肌の色のちがう彼らを差別しようとはせず、むしろかたことのロシア語と日本語で遊ぶ子供らの姿に目を細めていた。休日には父を訊ねてくる親しいロシア人もおり、母は彼らの妻たちと献立の交換もしていた。

乾いた海の匂いのする函館の風を、留次はありありと思い出した。すると、さして考えもせずに懐かしい言葉が再び唇から躍り出た。

「トメジ・ムラヤマ。プラシュー・リュビーチ・イ・ジァーラヴァチ」

初めて訪れたロシア人の家で自己紹介をするように、留次はなるべくていねいな言い方で、よろしく、と言った。

「トメジ?」

「ダー」

ターニャは輝くばかりの笑顔を留次に向けた。

「どうなってんだよ、留次さん。なんでロシア語なんかしゃべれるの」

サブは狐につままれたような顔で留次を見た。

「そんなの、俺もわからないよ」

「わからないって、ちゃんとしゃべってるじゃないか」

「だから、子供のころ函館にいたんだ。覚えていたことを思い出しただけだよ」

「へえ……そんなものかな」

もしかしたら自分にとっても、それは母国語のようなものかもしれないと留次は思った。

父の転勤で函館を離れてから、ロシア語は耳にしたことも話したこともなかったが、言葉は心の中で喪われずにいたのだ。

「まあ、わからんでもないよな」

と、中島吾市はターニャに事業服を着せながら言った。ふくらみかけた白い胸がまばゆい。

「俺だって船に乗ってからは、デアリマス、だけど、里に帰りゃ子供のころと同じハマ言葉に戻っちまう。おまえだって、そうだろう」

「そうですね……」と、サブはそれでも釈然としない顔をした。

「留次さん、そんなにロシア人の子供と遊んだの？」

「うん。日本人と遊ぶより多かった」

理由はあった。港町の漁民の子らは、内地からやってきたよそものの子供らと親しまなかった。留次や郵船の社宅の子供たちにとっては、先住民の彼らよりも、自分たちと同じ境遇にある白系ロシア人の方が、たとえ言葉がちがっても気の置けない遊び相手にすることができた。

だぶだぶの事業服の袖をまくり上げると、ターニャは寝台から下りて中島吾市の掌を握った。

「ブラガダリュー・ヴァース。アト・フセイ・ドゥシー・ブラガダリュー・ヴァース！」

おいおい、と中島は困った顔を留次に向けた。

「何て言ってるんだ。すごく喜んでいることはわかるけど」

「感謝してるって。とっても感謝してるって言ってます」

「ああ、そう……よっぽど嬉しいんだな、言葉が通じて。で、何と答えればいいんだ」

留次は少し考えた。幼い日々の記憶を喚起させ、たとえば夕食に招いた少年が帰りに何と言い、自分はどう答えたのだろうと思いたどった。

「パジャールスタ、かな。どういたしまして、ってことです」

中島吾市はいちど咳払いをし、ターニャの手を握り返して言った。

「パ……パジャールスタ」

とたんにターニャは、伸び上がるようにして中島の首に抱きついた。

「スパシーバ！　バリショーエ・スパシーバ！」

ありがとう、ありがとうとターニャは青い瞳に涙をうかべて叫んだ。

ターニャとのわずかな会話の中で、留次にはひとつ気付いたことがある。

「ねえ、中島さん。こいつ、いいとこの子ですよ」

ところかまわぬ陽気な接吻に閉口しながら、中島吾市は答えた。

「ああ、たぶんそうじゃないかって、正木中尉とも話していたんだ。ターニャは白系ロシアだからな」

「白系って、ロシア革命で追い出された連中でしょう？」

「だから、たいていはいいとこの子なんだよ。そりゃそうだよな、共産革命で追い出されたんだから、地主か金持ちか、さもなきゃ貴族だ」

考えてみれば当たり前のことだが、留次はとっさに子供のころに親しんだ遊び仲間や、その家族の顔を思い起こした。

ロシア人たちはみな貧しかったが、親のしつけが厳しかった。「パジャールスタ」というていねいな言葉は、彼らが何につけてもいちいち口に出した常用句だった。

（バリショーエ・スパシーバ）

（パジャールスタ）

どうもありがとう。いいえ、どういたしまして——。

食物を分け合ったときも、たがいの家に遊びに行ったときも、別れのときも、いつもそう言い合った。

函館の白系ロシア人の子は、みんなもとはいい家の子供なんだよと父が言っていた。理由は知らなかったが、そういうものなのだと留次は思いこんでいた。

「つまりこういうことだな。おまえが子供のころ遊んだのは、うまいこと日本に亡命できた連中で、ターニャは逃げ遅れたんだ。それでたぶん、シベリアに送られて、強制労働をさせられていた」

すべてがわかった。ターニャは男のなりをして弥勒丸にしのびこみ、捕えられた。

「かえすがえすも、兄貴はかわいそうだった。だが、仕方ないさ」

中島吾市はターニャの顔を肩から引き離して、金髪を撫《な》でた。やさしい人なのだと留次は思った。

「こいつ、どうするんですか」

「昭南で下船させる。香港では時間がなくて何もできなかったんだ」

「うまく行くかな」

と、サブが心細げに言った。

「さあ……どうだろう。誰も知り合いがいるわけじゃないしな。中尉殿と頭を悩ませているところなんだが」

留次はふしぎな気持ちになった。得体の知れぬ塊が胸の底からつき上がってきた。

「中島さん。こいつ、助けましょうよ。自分も、できることなら何でもしますから」

ひとりのロシア人を、どうしても助けなければならないと留次は思った。

「よし、鬼に金棒だ。言葉が通じないから往生してた。おまえ、これから通訳をしろ」

専従の看護婦が座敷に入ってきた。

ベッドに半身を起こしたまま語り続ける小笠原太郎の血圧を計り、脈をとる。

「そろそろお休みになられたほうが――」

かまわん、というふうに小笠原は小さく顎を振った。看護婦は訪問者たちのひとりひとりを睨《にら》みつけて座敷から出て行った。

「海事病院の総婦長をしていた看護婦でね、へたな医者より頼りになる」

小笠原は緊張した話の合い間の息を入れるように、彼が名誉理事を務めている海事総合病院の自慢話をした。

ぽつりと付け加えた言葉が軽部順一の胸を摑んだ。

「病院に金を出してはいかんね。死ねなくなる」

まるで死を望んでいるような言い方だった。庭先の光る海から老いたメガネをそらし、小笠原は叱られた子供のように俯いて、痩せた二の腕を撫でさすった。

「シンガポールは美しい町だった。常夏《とこなつ》の楽園だ。日本人も中国人もインド人もマレー人も、それぞれの民族に敬意を抱いて、仲良く暮らしていた。あの戦さえなければ、それこそ世界協和のお手本のような町だったろう。少なくとも、日本とイギリスは戦をするべきではなかった」

「会長、少し休んだ方がいいんじゃないかね。お疲れのようだが」

と、山岸修造が不安げに小笠原の顔色を窺った。

「いや、私には時間がない」

山岸は一瞬、返す言葉を探すふうをした。

「こいつらは若いんだから、何べんだって出直してくるさ。なあ」

軽部と日比野義政は肯いた。

「そういうことではないよ」と、小笠原は二人に微笑みかけた。

「次という機会が、私にはもう信じられんのだ。人間、九十年も生きればみなそういう気分になる。いずれ君らも今までの倍の人生を生きれば、私の気持ちはわかるはずだ」

看護婦がさしかえていった茶を啜《すす》りながら、小笠原は話を続けた。

「シンガポールは美しい町だった。平和という言葉が、あれほど似合う町は世界中のどこにもあるまい。命をおえる場所を自由に選べるとしたら、私は迷わずシンガポールを望むだろう。あそこで死ねるのなら、病院も、医者も、ベッドも、看取る人間もいらんよ。オーチャード・ロードの路上で行き倒れても、ボート・キーの桟橋で息が止まっても、ブキテマの丘の草むらに人知れず骨をさらしてもかまわん」

「会長はシンガポールにいらっしゃっていないでしょう、戦後は」

と、篠田郁磨が横目を使って微笑んだ。

「ああ、あそこだけはな」

小笠原太郎は喪われた故郷を望むように海を見た。

灯火管制をされたノースブリッジ・ロードは漆《うるし》を撒《ま》いたような闇である。

星明りの影をさぐるように踏んで歩きながら、小笠原太郎は有能な部下のことを考え続けていた。

日銀クアラルンプール支店から、その職員が特務機関に配属されてきたとき、小笠原は一《いち》瞥《べつ》して人選を疑った。土屋和夫の第一印象は、それくらい頼りなかった。

体は小さい。三十という年齢が怪しまれるほどの小造りな、初々《ういうい》しい顔をしていた。自分のそれよりももっと度の強そうな丸メガネをかけ、語気は弱く、いちいち考えてから言葉を口にする癖があった。麻の防暑服は汗のしみに汚れており、いかに急な配転であろうと、無《ぶ》精髭《しょうひげ》はいただけない。

もしやこの男は、帝大卒の官僚にしばしばいる、頭でっかちの偏屈者ではないかと小笠原は思った。内務省にも、こういう人間は多い。高等文官試験という制度の恩恵に与《あずか》っただけの高級官僚。

だが、人を選び直す時間の余裕はなかった。

小笠原はノースブリッジ・ロードの闇を振り返った。人力車の影が、中央路の角を北に曲がるところだった。土屋は吉報を携えて、恋人の待つ教会へ行くのだろう。

人間をみてくれで判定してはならんな、と小笠原はつくづく思った。

日銀の人選は間違ってはいなかった。おそらく土屋和夫の代わりを務められる日銀職員は、マレー半島のどこにもいなかったろう。土屋はその小柄な体と気弱そうな表情からはとうてい考えられぬ、知恵と胆力と実行力を持っていた。

混血の孤児たち——。

それは土屋に言われるまでもなく、小笠原が懸念していた問題だった。

長い歴史を持つシンガポールの日本人社会には、多くの混血児がいた。それぞれの民族が居住区域を分け、言語も習慣も、職業すらもきっちりと区分して社会を形成しているシンガポールでは、さほど血が混じり合うことはないのだが、それでも長い時間のうちに彼らは次第に数を増していった。

彼らこそ実は純血のシンガポール人であると、小笠原は考えていた。いや、遠い未来の「地球人」の先駆であろうと思っていた。

戦さえなければ、彼らはこの平和な町の象徴とされただろう。しかし、シンガポールを獲得した日本軍と、軍に先導された日本人たちは混血児をあからさまに差別した。

弥勒丸の乗船者名簿を作成するために、軍司令部は居留邦人の調査をしている。しかし八千人の日本人の中に、混血児と、混血児を持つ家族の名はなかった。故意に抹消された墨の跡を透かし見たとき、小笠原は義憤を感じた。

守るべきは弱者ではないのか。軍人精神とは、武士道とはそういうものなのではないか、と思った。

ラッフルズ・ホテルを見上げる辻まで来て、小笠原太郎は闇夜に腕時計を透かし見た。

ノースブリッジ・ロードに面した裏玄関はすでに閉まっている時刻である。ホテルの脇道を抜けて、ビーチ・ロードの正面玄関に回らねばならない。

一八八七年に開業したこのホテルは、香港のペニンシュラと並び称せられる名門で、いわば大英帝国の東洋経営の象徴である。

客室はすべて中庭を望むように設計されているから、灯火管制下でなければ、各階の廊下に並ぶシャンデリアがさながら不夜城のように光を放っているのだろう。

しかし、今はすべての窓に黒いカーテンが下ろされている。

狭い道路を、湿った海風が吹き抜けた。

背後に人の気配を感じて、小笠原は振り向いた。近ごろこういうことがよくある。誰かに跡をつけられているような気がしてならないのだが、もちろん思い過ごしだろう。

十歩ほど離れて、マレー人の酔っ払いが歩いている。街路樹の幹から幹へと、まるで鳥が渡るような足どりだ。小笠原が立ち止まって睨みつけると、マレー人は両手を挙げ、お道化《どけ》てわけのわからぬマレー語の歌を、声高《こわだか》に唄いだした。

ビーチ・ロードを曲がって人力車が走ってきた。車夫は支那人のようで、座席には白いターバンを巻いたインド人が乗っていた。詰襟《つめえり》の服と立派な髭は、インド人街の富裕な商人だろうか。

目の前まできて、インド人は車夫に英語で車を止めるよう命じた。

「カーネル――」と、インド人は闇夜に目を凝らして小笠原を呼び止めた。

「カーネル・オガサワラ」

知己《ちき》のように笑顔を向けるのだが、小笠原にはまったく見覚えのない顔だった。

「イエス。フー・アー・ユー？」

と、小笠原は親しげに笑いかけながら歩み寄ってくるインド人に訊ねた。ひどい早口の、訛《なま》りのある英語が返ってきた。まったく意味がわからない。

ひやりとした。呼びかけられた最初の単語を思いついたのだ。インド人はたしかに、「大佐《カーネル》」と呼んだ。

自分は陸軍大佐の軍服を着ているが、実は軍人ではない。だとすると、インド人は略衣の階級章を見て、とっさに「カーネル」と呼んだことになる。呼び止めることで、インド人は目の前の陸軍大佐が「オガサワラ」であると確認したのだ。

そう気付くのが一瞬でも遅ければ、小笠原は背後から振り下ろされた棍棒に殴り倒されていたはずである。すんでのところで振り返り、マレー人の棍棒を肩でかわした。

支那人の車夫が、路上に倒れた小笠原に馬乗りになって、荒縄をかけようとした。

大声を出すと、ホテルの二階の窓が開いて、「誰か」と日本語が聞こえた。

「助けてくれ、ゲリラだ！」

小笠原は懸命に叫んだ。

三人の暴漢は悔しげな声を上げて小笠原をつき放し、路地の暗闇に逃げ去ってしまった。

いったい何が起きたのかわからず、小笠原はしばらく路上に座りこんでいた。荒縄と人力車が置き去られている。彼らは刺客ではなく、自分を生け捕りにしようとしたらしい。

ふと、料理屋の前から人力車に乗った土屋和夫の安否が気遣われた。もし自分があの料理屋から跡をつけられていたのだとすると——。

「大変だ！」と、小笠原はビーチ・ロードの方角から走ってくる兵隊たちに向かって拳を振った。

「至急憲兵隊に連絡してくれ、特務機関の小笠原だ。土屋少佐を捜せ！」

「土屋少佐殿でありますか！」

週番士官らしい将校が闇の先で訊ねた。

「そうだ。ノースブリッジ・ロードからソフィア・ロードまでの一帯を、至急捜せ！　人力車に乗っている」

衛兵を伝令に出すと、週番士官は小笠原に駆け寄った。

軍司令部付の、顔見知りの若い少尉だった。

「小笠原さん、じゃないですか」

軍服姿の小笠原を見て、将校はとまどっている。

「身なりの説明をしている暇はない」

「おけがは？」

「大丈夫だ。ともかく土屋が危ない。手分けして捜そう」

あてどもなく闇を走りながら小笠原は考えた。日本軍でさえほんのごく一部しか知らないはずの計画を、すでにシンガポールの抗日地下組織は知っているのだろうか。

小笠原は走りながら強い吐気を感じて路上に屈《かが》みこんだ。すべては知られている。極秘計画のすべてが——。

それは、かつてどんな命のせとぎわにも感じたことのない恐怖だった。小笠原は街路樹の幹にしがみついて、腹の中のものを吐きつくした。

弥勒丸は攻撃されず、臨検もされない国際法上の安導券を持っている。捕虜のための食料をナホトカで受け取り、収容所に近い日本軍占領下の港に運ぶ。帰路に多少の軍需物資を積むことは、敵も暗黙の了解をしているという。

だが、それがゴムやボーキサイトや錫ではなく黄金の塊だと敵が知ったら、弥勒丸はどうなるのだろう。

どれほど正確な情報を入手しても、敵の臨検はありえないだろうと小笠原は思った。弥勒丸はそれを拒否する権利があるのだ。だとすると方法はただひとつ——弥勒丸を沈めてしまうことではないのか。

闇の路上で、小笠原は立ち上がることも動くこともできなくなった。弥勒丸は明朝、シンガポールにやってくる。

「あのときの気持ちは忘れられない。未《いま》だに夢に見てうなされることもある」

小笠原太郎は話しながら、ぽつりと言った。

「会長、ひとつうかがってもよろしいでしょうか」と、軽部順一はどうしても釈然としない疑問を口にした。

「南方軍が集めた金塊を、終戦も間近の日本に持ち帰ってどうするのですか。すべてが破綻《はたん》して、本土決戦が叫ばれているあのころに、金塊などあっても仕方ないでしょう」

小笠原は軽部をまっすぐに見つめた。

「君は、銀行員だったね」

「はい、かつては」

「ならば、理解してくれるだろう。弥勒丸の使命のすべてを」

「使命の、すべて？」

「そうだ。このことは誰も知らなかった。大本営と南方軍の寺内元帥、そして限られた参謀の間だけの最高機密だ。もちろん私も、土屋も知らなかった」少し間を置いて、小笠原は低い声を絞った。

「金塊の搬入先は、内地ではなかった」

居並ぶ人々は一斉に顔を上げて小笠原を見た。山岸修造も篠田郁磨も、思いがけぬ言葉に息をつめた。

「どういうことですか」

と、軽部は励ますように訊ねた。小笠原がそのまま口ごもってしまうのではないかと怖れた。

「日本じゃねえって……そりゃ、何だね会長」

声をうわずらせながら、山岸修造は膝を押し出して小笠原に向き合った。

「このことだけは、あの世まで持って行こうと思っていたのだが――」小笠原は苦しげに目をつむり、唇を震わせた。

「上海だ」

小笠原は投げ捨てるようにもういちど言った。

「上海だよ。あの金塊は上海に持って行くつもりだったのだ」

「なぜですか。何のために……」

軽部は唇だけで呆然と訊ねた。

「日本の中国経営が破綻していた。上海にも北京にも南京にも金がなくなって、あちこちで取り付け騒ぎが起きていた。大至急、相当の金塊を持ちこんで金貨に鋳造し、放出しなければならなかったのだ。君もかつて銀行員だったのなら、私の言うことはわかるだろう。中国の民衆が暴動を起こせば、すべては終わりだ。日本政府も大本営も、慄《ふる》え上がっていた」

中国経営の破綻ですべてが終わる――それは国民や兵隊のあずかり知らぬ、あの戦の重大な側面だった。預金を奪われた中国民衆の暴動。鎮圧しようとすれば大虐殺が起こる。

いずれにしろそれは、あの戦の最悪の結末だろう。

「ひどい話だな……」それまで口をきかずにじっと海を見つめていた篠田郁磨が、ぽつりと呟いた。

「何も知らなかった。そんなことは、何ひとつ」まるで体を支えていた芯棒が折れるように、篠田は端整な姿勢を崩し、背を丸めた。

「会長――」

と、篠田の胸のうちを代弁するように山岸修造が言った。

「どうして今の今まで、そんなたいそうなことを口になされなかったんです」

小笠原太郎は病床に身を起こしたまま、言葉を選ぶふうをした。

「話したところで、どうなるものでもあるまい」

「そりゃあ、ちがう」と、山岸は初めて抗《あらが》った。

「会長は嘘をついていなさる。今さらどうなるものでもないなんて、そりゃあ小笠原太郎のセリフじゃない。言うのがいやだったんじゃないんですかい。思い出したくもないことだから、忘れたふりをしていただけじゃないんですかい」

小笠原は答えなかった。怒りすらこめて、山岸は続けた。

「会長もご存じの通り、郁さんは元を正せば大本営の参謀だ。しかも弥勒丸の運航にかかわった、船舶課のね。その郁さんが弥勒丸の極秘任務とやらを何も知らず、もとは軍属の会長が知っていて話さなかった。五十何年もたってから実はこうだったなんて、そりゃあひどすぎるよ。郁さんの身にもなってみなよ」

篠田はゆっくりと頭をもたげた。

「いいよ、親分。遠い昔の話だ。たしかに会長のおっしゃる通り、今さらどうこう言って何が始まるわけじゃない」

「いいや、それもちがう」と、山岸は斜《しゃ》に構えた体を篠田に向けた。

「じゃあひとつ聞くがね、宋英明ってえ男は、いってえ何なんだい。郁さんも会長も、遠い昔のことだから仕様がねえと言うが、その中国人は何としてでも弥勒丸を引き揚げようとしているじゃねえか」

「目あては金塊だろう。べつにほかの理由はあるまい」

と、篠田郁磨は振り向きもせずに言った。

「ちがうな。郁さん、あんた心にもないことを言っちゃいけねえ」

篠田は押し黙った。

「図星だろうが。あんたも、会長も、宋英明が金塊のために弥勒丸を引き揚げようなどと思っちゃいねえことは、わかってるんだ。だが、それ以外の理由は考えたくもない。ちがうか」

「じゃあ、聞こうか親分。それ以外の理由とは何だね」

「仏さんさ」と、山岸はにべもなく答えた。

「いいかね。人間はたといどんな大金だって、五十年も追いかけられるものじゃねえ。それに——銭金《ぜにかね》でそうそう人を殺せるものじゃねえ。そんなことは極道が一番よく知っていらあ」

軽部は混乱した頭の中で、老人たちが言い争う意味について考えた。

弥勒丸はシンガポールで莫大な金塊を積み、航路を変更して上海に向かったのだ。そしてその途中、敵潜水艦の魚雷攻撃を受けて沈没した。

故意か誤爆か——戦後しばしば蒸し返されてきたこの史上最大の海難事故の原因はわからない。しかし、ただひとつはっきりとしたことは、弥勒丸が金塊を積まず、航路の変更もしなければ、何事も起こるはずはなかった。敵捕虜のための赤十字物資を運んだ美談は、太平洋航路のエース弥勒丸の歴史を飾ったはずだった。

軽部は苦渋に満ちた老人たちの顔をひとつひとつ見つめながら考えた。

台湾海峡北緯二五度二六分〇一秒、東経一二〇度〇八分〇一秒、水深五十メートルの大陸棚に、弥勒丸は沈んでいる。昭和二十年四月二十五日午前二時十六分。彼女の身の上にいったい何が起こったのだろう。

篠田郁磨は気を取り直すように腰を伸ばし、あぐらをかいた膝に拳を当てた。

「知らなかったでは済まされないことだね。僕は——弥勒丸の運航を管理するセクションにいたのだから」

篠田の苦笑は痛ましかった。セクションとは、大本営陸軍部の船舶課である。

「あのころ、南方資源地域と内地との海上交通は完全に遮断《しゃだん》されていたと言っていい。シンガポール発の輸送船団は特攻隊のようなものだった。およそ七、八割が撃沈されたのではなかろうか。仏印沿岸と台湾海峡は敵潜水艦の巣になっており、瀬戸内海ですら機雷で封鎖されていたのだからね。だから陸軍が一元的な運航統制を始めた二十年の四月には、南方の各輸送隊は南方沿岸の局地輸送しかできなかった。そんな時期に安導券を保証された弥勒丸が、どれくらい価値ある船であったか——」

話しながら篠田は、痛みをこらえるようにきつく目を閉じた。

「これだけは信じて欲しい。船舶課の参謀は誰も、復路の積載物は知らなかった。もちろん航路の変更についてもね。もし知っている者がいたとすれば、ただひとり。運航指揮官として弥勒丸に乗った、堀という参謀だけだろう。そのようなわけだから弥勒丸からの打電が杜《と》絶《ぜつ》し、外務省を通じて敵潜水艦の誤爆により沈没したらしいという報告がもたらされたとき、参謀たちは海図室に飛びこんだ。忘れもしない——北緯二五度二六分、東経一二〇度〇八分。そこは予定の航路を大きく北にはずれた位置だった。なぜだ、とみんなが叫んだよ。そして呆然とした。なぜだ、なぜだ、なぜだ。なぜ最新の機器とベテランの航海士たちを持ちながら、弥勒丸はそんなとんでもない位置にいたのだ。なぜ、何のために——上海に寄港するなどとは、誰も知らなかった」

看護婦が廊下を歩いてきた。

「面会はこのくらいで。どうぞ日を改めてお越し下さい」

小笠原はひとつ肯いて、蒲団《ふとん》の中に滑りこんだ。

帰郷

携帯電話が鳴った。

「お話し中、申しわけありません」

久光律子は土屋和夫から顔をそむけて、電話機に耳を当てた。軽部順一からの電話だった。

〈大磯は終わった。タクシーで事務所に向かっているところだ。もうじき着くよ〉

「タクシー?」

〈ああ。よっちゃんはプライベートな用事があるっていうから、大磯で別れた。そっちは、どこにいるの〉

律子は向かいの席で茶をすする土屋をちらりと見た。

「ちょっと用事があって。私はもう少しかかるわ。終わり次第、銀座に戻る」

〈今晩、食事でもどうだ。積もる話もあるし〉

「ありがとう。うれしいわ」

軽部順一と電話で話すとき、何となく胸がときめく。そのときだけ、遠い昔の二人に立ち返ったような気持ちになる。まるで声ばかりが傷ついていないように。

「ごめんなさい、失礼しました」

厚いメガネの中で、土屋の目が笑った。

「恋人、ですか」

自分はだらしない顔をしていたのだろうか。

「いえ。この件について一緒に動いている仲間です。恋人なんて、そんなのじゃありません」

「そうでしたか。いや、あなたの笑顔があんまり良かったから」

土屋は淋しげに目を伏せた。ふと、律子は悲しい想像をした。

もしかしたら土屋は、百合子という恋人の面影を、自分の笑顔の中に見出していたのではないだろうか。

「その後、島崎百合子さんとは？」

口に出してしまってから、律子は悔やんだ。少なくともハッピー・エンドに至らなかったことは確かである。事務所の衝立《ついたて》の向こうで夕飯の仕度をしている土屋の妻は、もちろん島崎百合子ではない。

土屋は救世軍の軍服のまま炊事場で菜を刻む妻を、ちらりと見た。

「まあ、いいじゃないですか。そんなことは」

土屋の妻が、包丁を使う手を休めずに言った。

「ああ、少佐。べつに私を気になさらなくてもいいのよ。どうぞ、お話しなさいな」

「いや、そういうわけじゃない。ただ、話したくないだけだよ」

「それならいいですけど。もうやきもちを焼く齢でもないし、ちょっと聞きたいような気もするんですけどねえ」

妻の声はやさしかった。

「まあ、おいおいね。話したくはないが……」

土屋の表情は、火を消したように暗くなった。

「あの、もしや――」と、言い淀んだ律子の言葉の先を、土屋は理解した。

「その、もしやですよ」

何と答えればいいのだろう。気まずい沈黙の後で、律子は勇気をふるった。

「島崎百合子さんは弥勒丸にお乗りになったのですか」

土屋は律子をまっすぐに見つめて、こくりと肯いた。

台所で菜を刻む包丁の音が止まった。

「私は、私の力で彼女と、彼女を母なる人と慕っていた子供らを弥勒丸に乗せてしまいました」

土屋はもう嘆かなかった。茫洋《ぼうよう》として捉えどころのない笑顔のまま、まるで物語の一節を口ずさむように続ける。

「お節介、だったのでしょうかねえ。だが、私はよかれと思ってそうした。混血の子らを救う手だては、他になかったのですよ。そしてもちろん、子供らを安全な場所に導く親は、彼女しか考えられなかった。彼女は――」

笑ったまま、いちど空気の洩れるような溜息をつき、土屋老人は恋人の名前を口にした。

「百合子は、子供らを主《しゅ》のみもとに導きました。そう思うより他に……」

声の続きはまた空気の洩れるような、むなしい溜息になった。

そう思うより他にないでしょう、他に自分を納得させる方法があるのなら教えてくれ、と土屋は言おうとしたにちがいなかった。

「少佐――」と、土屋の妻は台所から限りなくやさしい声で夫を呼んだ。

「ご自分を責めてはいけませんよ。あなたの手で愛する人を殺したように考えてはなりません。償《つぐな》いのための人生だなんて、それは悲しすぎますよ。あなたにとっても、もちろん私にとっても」

夫の重大な告白を、妻は受け止めた。そう思うと、律子には口をさし挟む勇気がなくなった。

「あの、私、出直してまいります。気を鎮めてから、もういちど出直してきます」

「べつにそうお気になさらなくても」

と、土屋は手帳をしまいかける律子の手を握った。乾いた老人の掌が肌に触れたとき、律子の体は凍えついたように、立ち上がることも座り直すこともできなくなった。

時を忘れて土屋の話に聞き入っていた。聞きながら妻の作った昼食をとり、また話の続きを聞き、いつしか教会の庭はたそがれていた。

少年がホースを引き回して水を撒《ま》いている。ふと、ワゴン車のうしろに銀色の高級車がすべりこんだ。

中腰のまま庭先に目をやって、律子は目を疑った。

少年がホースを投げ出して窓辺に走ってきた。

「土屋先生、ヨシマサさんです」

「おお」と、土屋老人は庭先に向かって手を挙げた。背広を肩に担いで、日比野義政が立っていた。

どうして日比野がここに来たのだろう――。

とっさに律子は、大磯の小笠原邸でこの弥勒園と土屋和夫の存在が明らかにされたのだと思った。ほかに日比野がここにやって来る理由は考えつかなかった。

日比野はネクタイをくつろげた頑丈な体を、彫像のように固めて庭に立ちつくしている。

ともかく自分がここにこうしているのは偶然なのだということを、日比野に伝えねばならない。律子は窓辺に寄って手を挙げた。

「日比野さん、私、抜け駆けしちゃったわよ」

律子の笑顔に、日比野は答えなかった。太い眉をひそめ、上着を肩に背負ったままじっと律子を見つめている。

「おや——」と、土屋老人は膝頭に手を当てて、中腰に立ち上がった。

「あなたは、彼のことを知っているのですか」

「彼、って？」

律子は混乱した。そういえば、庭に水を撒いていたトオルという少年は、ヨシマサさんが来たと言った。

「日比野さんは、私たちのプロジェクトの一員です」

土屋は律子の言葉を嚙みしめ、庭先の日比野を見、困惑した表情を妻に向けた。

「あら、まあ……」

土屋の妻は炊事場で包丁を握ったまま絶句した。

テラスから幼い子供らが走り出た。愛らしい昆虫のように日比野の腰にまとわりつき、腕にぶら下がる。

日比野は我に返って笑顔をうかべ、子供らを抱き上げた。ベンツのドアを開けてスーパーの買物袋を摑み出し、手みやげの菓子を子供らに分け与える。しゃがみこんだままちらりと律子を見た日比野のまなざしは悲しげだった。

「これも偶然ということですか。いやはや、愕きました――」

土屋は律子のかたわらに寄って、庭を見つめながら続けた。

「日比野義政。ここの子供です。私の誇りですよ。定時制高校から大学に行って、自衛隊の幹部候補生にパスした。上官とそりが合わなくて退職したあとも、ああして立派に生きている。月に何度も帰ってきてくれるんですよ」

「知りませんでした――まったく、何ていう偶然でしょう」

自分は日比野に対して、どう言葉をかければいいのだろうと律子はとまどった。まるで巣をあばかれた獣のように、日比野は子供らに取り囲まれたまま悲しい目を律子に向けていた。

「奇蹟ですね」

と、律子は言った。

「そう、奇蹟です。主が奇蹟を起こされた」

厚いメガネをはずして、土屋老人は瞼《まぶた》を拭った。

やがて事務室に入ってきた日比野義政は、いかにも彼らしく満面で律子に笑いかけた。

「やあ、抜け駆けだな、リッちゃん。さすがはブン屋だ」

「それがね、日比野さん。これ、偶然なんですよ」

律子は自分がここにきた経緯を語った。話すほどに、誰もが夢見ごこちになるほどの偶然だった。

「偶然？」

ソファに腰を下ろして汗を拭いながら、日比野はあわただしくタバコを咥《くわ》えた。

「俺、知らなかったよ、先生。びっくりして飛んできた」

律子と土屋夫妻は、日比野を囲むようにして座った。いったい日比野が何に愕き、軽部と別れてここにやってきたのか、律子にははっきりとわかった。

「ああ、そのことなら——」と、土屋は白髪を撫で上げた。

「いま、この久光さんから伺《うかが》った。仲間の人たちが、大磯の小笠原さんのところへ行っているとね。まさか君だとは……」

冷えた麦茶を一息に飲み干して、日比野義政は少し考えるふうをした。いったいどこからどう説明したものかと苦慮しているようである。

「シンガポールでのことを、小笠原さんから聞いたんだ。話の途中で、土屋という名前が出てきたとき、ちょっとびっくりしたんだけど、土屋和夫って、べつに珍しくない名前だろう？　——でもそのうち、だんだん怖くなってきた。俺、先生の昔のことは何も知らないけど、厚いメガネをかけているとか、小柄でやさしい感じがするとかね、若いころの先生の姿になってきちまったんだよ。いやあ、まいったな……」

日比野のうろたえる姿を見たのは初めてだった。師であり、親でもある土屋夫妻の前で、日比野は少年に返っていた。

「――それでね、混血児の孤児の話が出たとき、息が止まるぐらい愕いた。弥勒園っていうここの名前も、偶然じゃないって気付いた」

土屋の背を妻が抱き寄せた。

「私は、私の子供にすべてを話さねばならんのかね」

「イエスが義政君を選んだんですよ、少佐。そう思って下さいな」

今この老人の慄える胸のうちに去来しているものは、弥勒丸のことではないと律子は思った。誇りとする一人の教え子との暮らしが、古いアルバムを開くように甦っているのだろう。

「君は、ここに来た日のことを覚えているかね」

日比野は煙草を額に当てて目を閉じた。

「覚えているよ、先生」

それは孤児にとって、最も辛い記憶にちがいなかった。

「東京オリンピックの年だった。俺は小学校の五年生で――」

日比野は日ざかりの庭に目を向けた。

「妙なもんだな。前後のことはきれいさっぱり忘れちまっている。死んじまったおやじの顔も、男と逃げたおふくろの顔も覚えていない。自分がそれまでどんな家でどんなふうに暮らしていたかさえ、ほとんど記憶にないんだ」

「それはねえ、義政君――」と、土屋の妻が慰めるように言った。

「いやな記憶は忘れてしまうものなのよ。そうでなければ人間は生きて行けないから」

日比野は深く息をついた。

「そうだな。あのとき、土屋先生もそう言ってくれた。俺、覚えてるよ」

「おや、私がそんなことを言ったのかね」

「言ったよ。どういうわけかはっきりと覚えている。ほら、あそこの桜の木の下で――」

と、日比野は厚く葉の繁る庭先の桜に煙草の火先を向けた。

「区役所の人に背中を押されて、それでも歩き出せずにいる俺を、先生は抱きしめてくれた。それでね、こう言ってくれた。ぜんぶ忘れなさい。おとうさんのこともおかあさんのことも、生まれた家のことも。これからはここが君の家で、君は私の子供だよ、って」

「そうかね……。残酷な言葉だが、そう、あのころはそんなふうに言っていたかも知れない。とくに君の場合は事情が悪かったからね。そうとでも言うほかはなかったのだろう」

「たしかに残酷な言葉だったな。忘れろ、っていうのは、応えたよ。でも、俺は本当に忘れちまった」

「君は素直な子だった」

「先生の胸は温かかったからな。俺、泣きながら思った。ここが俺の家で、この人が俺の親になるんだって。でもよ、先生——」

日比野は窓の外を見つめたまま、いちど咽《のど》を鳴らした。

「俺ね、大磯からここへ来る間、ずっとそのときのことを考えていたんだ。先生は俺たちみんなの苦しみを、そんなふうにして片ッ端から忘れさせてくれたけど、自分の苦しみはちっとも忘れていなかったんじゃないかって。そうだろ、先生——」

土屋は答えなかった。

「階級は少佐のまんまだもんな。救世軍の本営からどう言われたって、ずっと少佐のまんまだもんな。ここは弥勒園で、孤児や混血児をみんな引き取って、先生はシンガポールでのあの日のまま、時間を止めちまってるんだもんな。朝っぱらから銀座の街頭に野戦に出てよ、ラッパ吹いて、太鼓たたいて——なあ、先生。あんた五十年もずっと、何を考えてきたんだ」

土屋は軍服の小さな膝を抱えるようにして、唸るように嗚咽《おえつ》した。

「俺に、親孝行させてくれねえか。なあ、先生」

日比野はそう言って、土屋の肩に大きな掌を載せた。

早朝のクリフォード桟橋は水も洩らさぬ警戒ぶりだ。

シンガポール川の河口周辺と桟橋のあたりだけでも、剣付銃を構えた兵隊が一個連隊は動員されているだろう。これではまるで、弥勒丸の特殊任務をスパイどもに知らせているようなものだと土屋は思った。

それにしても、何という立派な船だろうか。緑色のペンキと白十字の印で艤装《ぎそう》を施されてはいるが、桟橋に接岸した弥勒丸は、たしかに太平洋航路の豪華客船の威容をしのばせた。

朝凪《あさなぎ》のマリーナ・ベイに弥勒丸が姿を現わしたとき、警備の兵隊の間からどよめきが上がった。

一万七千トンという総排水量すら、土屋には信じられなかった。高い吃水《きっすい》線と堂々たる五層のデッキが、弥勒丸を戦艦なみの大きさに見せているのだった。

「聞きしにまさる船だな」

小笠原太郎は腕組みをしたまま、唸るように言った。

「海運大国日本の面目躍如たるところですね。これは、すばらしい」

すばらしいという言葉のほかに、この雄姿を形容する方法はないと土屋は思った。

桟橋のほとりに並ぶ軍司令部の参謀たちにとっても、その思いは同じらしい。フィリピンを失陥してこのかた、軍艦といえば疲れ果てた駆逐艦と潜水艦しか目にしていないシンガポールの軍人たちにとって、突然目の前に出現した弥勒丸の姿は感動的だった。

繋留作業をおえると、舷側の二ヵ所の貨物扉が開き、海軍事業服の作業員が躍り出た。

「水兵でしょうか」

と、土屋は小笠原に訊ねた。どの事業服も一点の汚れすらないほどの純白である。しかもひとりひとりの動作がてきぱきと素早い。

「いや、乗組員はみな船ごと徴用された軍属だ。帝国郵船の社員だよ」

「よく訓練されているようですね」

「そりゃあ君、サンフランシスコ航路に就航するはずだった客船だからね。帝国郵船でもえり抜きの連中さ」

小笠原はわがことのように言いながら、誇らしげに参謀たちを見渡した。

甲板のウインチが鳴り、鎖に吊られた舷梯《げんてい》がゆっくりと下りてきた。

「ずいぶん長いハシゴですね」

「水兵が乗り降りするためのものではないからな。海外航路の女子供や老人が歩けるようにできている」

なるほど舷梯は長ければ長いほど桟橋への勾配《こうばい》が緩《ゆる》やかになるというわけだ。

「世が世なら、帆布《はんぷ》の日被《ひおお》いがかけられていて――」

「そう。赤い絨毯が桟橋まで敷かれる」

土屋はふと、長く緩やかな舷梯を伝って、洋行帰りの紳士淑女が桟橋に降り立つさまを想像した。弥勒丸にはしゃれたパナマ帽やレースの日傘が良く似合う。

しかし、長い舷梯に姿を現わしたのは、いかめしい軍服姿の陸軍将校と、濃紺の一種軍装を着た海軍士官だった。

二人は駆け足で桟橋を走ってきた。少佐と中尉である。どちらも若い。

「大本営参謀、堀少佐」

と、参謀飾緒《しょくしょ》を吊った少佐は小笠原に駆け寄って言った。居並ぶ将校たちの階級章をとっさに見較べて、小笠原を指揮官であると判断したらしい。

「先任参謀はあちらだ」

小笠原は軍刀を杖にして立つ軍司令部の高級参謀を指さした。

「失礼しました」

少佐は踵を返して先任参謀の前に進み、到着の申告をした。

「私の方が偉く見えるらしい。悪い気持ちはせんな」

と、小笠原は笑いを嚙み殺して土屋に囁きかけた。

申告をおえると、白手袋で汗を拭いながら若い海軍士官が土屋に近寄ってきた。海軍ふうの小さな敬礼をする。

「お訊ねいたします。少佐は主計科ですか」

「いや」と、土屋はたじろぎながら答えた。

厚いメガネでそう判断したのだろう。

小笠原が横あいから、小声で口を挟んだ。

「昭南特務機関だ。物資の件なら、のちほど」

小笠原は中尉を桟橋の端に導いた。

「時と場所を考えろ。機密事項であることは知っているだろう」

「あ、いえ……そうではありません。そのことでは……」

中尉はふいに、まったく思いもかけぬことを口にした。

「自分は、呉《くれ》鎮守府付の正木中尉であります。特務機関の方でしたら、尚さら折入ってご相談が」

「何だね」

「簡単に申し上げます。ナホトカ港で赤十字物資を積載した折に、密航者を保護しました。白系ロシア人の娘であります。門司で領事館に引き渡すべきでありましたが――」

聞きながら小笠原は苛立《いらだ》った。

「わけのわからんことを言うな。そんなものをなぜ昭南まで連れてきた」

「事情をお聞き下さい、大佐」

「どんな事情があるかは知らんが、貴様は弥勒丸の使命を知っておるのだろう。いったい何を考えておるのだ」

「お聞き下さい。お願いします」

正木中尉の表情は真剣だった。これはよくよくの事情があるのだろうと、土屋は思った。

「隊長殿、聞くだけは聞いてやったらいかがですか。何やらのっぴきならぬ事情があるようです」

とりあえず赤十字物資を下ろす作業は、二人には関係がなかった。

クリフォード桟橋の衛兵所で、土屋と小笠原は正木海軍中尉の相談事を聞いた。

「――いかに密航者とはいえ、問答無用で射殺してしまったのは早計でした。その妹というのは、まだ年端《としは》も行かぬ小娘でして、ソ連領事館に引き渡せばその先は知れきっておりますし」

「つまり、武士の情け、というわけだな」

小笠原は不本意そうに言った。

「特務機関の方ならば、何かしら策があるのでは」

中尉の説得には熱意がこもっていた。おそらく武士の情けばかりではあるまい。

「昭南に、白系ロシア人はおりませんか」

小笠原は土屋を振り返った。

「知っているかね」

「いえ――」

土屋が首を振ると、正木中尉は肩を落として落胆した。

「では、教会はありませんか。ロシア正教会は？」

しばらくの間、小笠原は中尉の表情に見入っていた。それから、ふと気付いたように言った。

「正木中尉。君はいい男だね」

「は？——」

小笠原はそれまでの不機嫌など嘘のように、にっこりと笑った。

「顔のことではないよ。私は、君がどうしてそれほど熱心にわれわれを説諭するのかと考えていた。つまり、良心というやつだな」

「はあ……良心、でありますか」

正木は誠実な海軍士官の目を、まっすぐ小笠原に向けた。

「懐かしい言葉だろう。今や死語だな。あんまり長いこと使っていなかったので、君自身その言葉を忘れている。おそらく、君はどうしてそれほどまで熱心にそのロシア人の命にこだわるのか、自分自身でもふしぎに思っているのだろう。あたりまえだ。人の命は今や虫けら同然なのだから」

土屋はわけもなく胸が熱くなった。小笠原の言わんとしていることは、すべてわかった。

「小笠原さん——」と、土屋は思わず軍人の言葉を忘れて語りかけた。

「教会で思いついたのですが、救世軍を頼ってみたらどうでしょうか」

正木中尉は眉を開いた。

「救世軍、ですか。あるのですか、昭南に」

「英国人の牧師は勾留《こうりゅう》されていますが、マレー人はたしかいるはずです。教会もありますしね」

正木中尉は立ち上がって、礼儀正しく坊主頭を下げた。

「ぜひ、お取次ぎ下さい。次の寄港までの間、通訳を付けておきます」

小笠原は防暑帽を冠《かぶ》って席を立った。

「よし。少佐、あとは君に任せる。生きられるものは何とか生かしてやりたまえ。武士の情けではないぞ。人間の良心にかけてな」

弥勒丸がシンガポールを離れたのはその日の夕刻だった。

だぶだぶの海軍事業服を着せられた少女は、いつまでも船影を見送っていた。

「さあ、行くぞ」

土屋が栈橋を歩き出すと、通訳の少年はロシア語と日本語とでなだめすかしながら、少女の手を引いた。通訳と呼ぶにはあまりに心許《こころもと》ない。

「少佐殿。自分、あまりロシア語に自信はないんですけど」

言いわけをするように、少年は言った。

「そんなことはわかっているよ。通訳というより、おもり役だな」

「これから、こいつはどうなるんでしょうか」

「とりあえず救世軍の施設に連れて行く。――しかし、どうして香港で下船させなかったんだね。昭南には白系ロシア人などいないよ」

村山留次と名乗る見習船員の表情は、不安げに青ざめて見える。

「時間がなかったらしいんです。正木中尉殿はいろいろと交渉したんですけど、はねつけられたって」

「あたりまえだ。まったくご苦労な話だな」

「申しわけありません」

と、留次はわがことのように頭を下げた。

「ところで、この娘、本当に十五歳か。どう見ても十ばかりだが」

「白人の子供は急に大きくなるんだそうです」

留次は通訳と呼ぶほどの用はなさないが、ともかくロシア娘のおもり役にはなる。かたことでも意思さえ通じれば、安心はするだろう。

少女は留次が肩から提げた雑嚢《ざつのう》に身を隠すようにして歩いた。

「だいぶ怯えているようだな。さっきから俺の顔色を窺っている」

「軍人が怖いんです」

土屋は正木中尉から聞いた事の顚末《てんまつ》を思い出した。

「ヴァム・クーダー？」

少女は留次の手を引いて、何度か同じことを言った。

「何と言っているんだ」

「どこへ行くのかって」

「説明できるかね」

いえ、と困ったように少女を見て、留次は手ぶりをまじえて短い言葉をかけた。たぶん、心配するなと言っているのだろう。

「すげえや、自動車に乗せてくれるんですか」

衛兵所の前に公用のT型フォードが止まっていた。島崎百合子が笑顔で手を振った。看護婦の白衣がまばゆい。

「まさか君らと町なかを歩いて行くわけにもいくまい」

百合子はロシア娘を抱き止めた。

「もう大丈夫よ。安心なさい。あなた、お名前は？」

「ターニャです」と、留次がかわりに答えた。

女性と言葉をかわすのは久しぶりなのだろう、ターニャは留次の手を振りほどくと、百合子の胸に顔を埋めた。

「すまんね。面倒なことをお願いして」

「お気づかいなく。これも立派な赤十字の仕事のうちです」

迎えの運転手に托した簡単な手紙を、百合子はしっかりと読み取ってくれた。看護婦の白衣で来ることが好ましいと、とっさに機転をきかせたのだろう。

「安心したみたい。この格好は万国共通だから」

桟橋には夕闇が迫っていた。

土屋和夫はふと、マリーナ・ベイを遠ざかって行く弥勒丸の姿を振り返った。

「さあ、行きましょう、ターニャ。お友達がおおぜい待っているわ」

土屋は助手席に乗り、百合子と留次はターニャを挟んでうしろの座席に乗った。訝しげに見送る衛兵たちに答礼をして、土屋は車を急がせた。

いつに変わらぬ平穏な町の風景を見やりながら、土屋は奇蹟について考え続けた。いまこの車に乗っている人間たちひとりひとりの人生について。

「百合ちゃん――」

たそがれのシンガポール川を渡るとき、土屋は思わず恋人の名を呼んだ。

「何ですか、少佐殿」

と、物言いをたしなめるように、百合子は答えた。

「僕は、先生のおっしゃっていたことを信じるよ」

「父の言っていたこと？　——何かしら」

膝の上で、土屋は軍刀の柄《つか》を握りしめた。それだけはどうしても言わなければならないと思った。

「僕は、神を信じる」

百合子は押し黙った。

「その子が、僕に教えてくれた。人間は神に守られている。殺し合い、欺《だま》し合い、人間はみな愚かしいことばかりしているのに、やっぱり神は人間を守ってくれている。いま、そのことに気付いたんだ」

肩ごしに振り返ると、百合子は唇をきつく結んで窓を向いていた。ターニャの顔を抱き寄せる。

「主のご加護を——」

細い指先が金髪をくしけずった。

日ざかりの午後

　事務所に戻る道すがら、軽部順一は重い疲労を感じて並木通りのコーヒー・ショップに入った。

　この数年、暑さ寒さが体に応えるようになった。年齢のせいだとは思いたくない。

　銀座の町なかにしては怪しいほどに安い値段のコーヒーを注文し、トレイに載せて窓ぎわのカウンターに座る。

　事務所は目と鼻の先なのに、わざわざ手前でタクシーを降りてコーヒー・ショップに立ち寄った。職場に戻りたくない気分は誰も同じなのだろう。

　コーヒーを啜りながら、ぼんやりと並木通りを眺めていると、隣に座った男たちの会話が耳に入った。

「信じられるか。あの物件に根抵当が九億五千だって。今じゃ競売にかけたって三億がせいぜいだ」

「売れないね、三億じゃ」

「そう思うだろ。買手もすっかりこっちの足元を見てるからな。三億だと言えば、いや二億五千。いちど握手をしたって、それからがまだ長い」

「難癖つけるのは簡単だしね。そのぶん上乗せしたら、はなっから売れやしないし」

不動産屋だろうと思ったが、そうではないらしい。二人の男はダーク・スーツに白いワイシャツを着、地味なネクタイを締めている。

「本部からは、ともかく一日でも早く売れと。はっきりとは言わないけど、売値はいくらでもいいってことらしい。監査が入ればひとたまりもないからな」

「赤字は仕方ないが、不良債権はまずい、という論理か。変な話だけど」

三十歳ほどに見える二人の男は、どうやら休日返上で仕事をする銀行員であるらしい。世の中も変わったものだと軽部は思った。自分が銀行員として外回りの営業をしていた時代には、コーヒー・ショップで愚痴を言うどころか、支店の周辺では買物さえ許されていなかった。それくらい顧客の目や耳を気にしていたものだ。

「まあ、二十坪のオンボロビルに九億五千万の根抵当をくっつけた融資係は、今ごろどこで何をしてるのかは知らないけど」

「なに、知らん顔で働いているさ。そんなもの傷になんかならない。——だが、そういう不良債権を今どう処理するか、これは俺たちにとって傷にも勲章にもなる」

「喜ぶべきかね。悲しむべきかな」

「俺はいやだね。傷つくぐらいなら勲章もいらない」

男たちが席を立ってしまうと、軽部の心はうつろになった。

時代は変わってしまった。世の中の仕組もモラルも、すっかりちがうものになってしまったのだ。

自分は取り残された。そしておそらく、日比野も、律子も。

ぼんやりと煙草を吹かしながら、こんなことをしている場合だろうかと軽部は思った。

景気が低迷していれば町金融が栄えるだろうというのは素人考えである。軽部の経営する栄光商産も、好景気の時代とは比較にならぬほどの不良客を抱えこんでいるのだった。社長の軽部と専務の日比野が一緒になって仕事をなおざりにしていれば、必ず手痛い目に遭う。

立ち上がりかけたとき、内ポケットの携帯電話が鳴った。

「もしもし――」

数秒の空白が軽部を不安にさせた。携帯電話の番号を知っているのは、会社の事務員と日比野と律子だけである。

「もしもし――」

聞き覚えのある声が返ってきた。

〈軽部社長かね〉

音質は明瞭だ。間を置いてから、軽部は答えた。

「宋英明さん、ですね」

〈好《ハオ》。よくおわかりになりました。その通りです〉

「電話番号は、どうして」

〈私にとっては、たやすいことですよ〉

宋英明は乾いた笑い方をした。

〈話は小笠原会長までつなげて下さったようだが、首尾はいかがでしたかな〉

行動を監視されている。軽部は街路に目を配り、振り返ってコーヒー・ショップの店内を見渡した。

「跡をつけているのですか？」

〈いいえ。私は、探偵小説のようなまねはしません。ただし、あなたがいま何をしているかぐらいはわかっています〉

「勘弁して下さいよ。そこまでされるいわれはない」

〈いえ、そうしなければなりません。どうしても〉

と、宋英明は刃物を抜くようにいきなり言った。

〈あなたがたを、殺したくはないです〉

恫喝《どうかつ》しているのではあるまい。宋英明の声は重々しく耳に響いた。

「話の内容までいちいちあなたに報告しなければならないんですか」

〈その義務はありません。結果を知りたいだけ〉

どう答えるべきだろうと軽部は思った。宋英明の要求する百億円という金額を、口に出してはいなかった。

「あなたのご依頼については、まだ具体的に話してはいませんよ」

〈なぜですか〉

宋英明は不本意そうに言った。

「なぜかと言われても困る。話には順序というものがあるでしょう」

〈それは嘘〉

と、宋英明の声はきっぱりと言った。

〈軽部社長。あなたはまだためらっているね。山岸さんや小笠原さんに遠慮している。いいですか、小笠原さんはあなたが口に出せなかったことを、すべて承知している。そのはずです〉

宋英明は自分の行動ばかりではなく、心の動きまでを見すかしている。励ますような口調で宋は言った。

〈もう大磯に行く必要はありません。小笠原さんに電話をなさい。宋英明が、今度こそ弥勒丸を引き揚げると。それには百億円が必要。出してくれと言いなさい〉

軽部は怖れながら苛立った。宋の物言いは次第に威圧的になった。

〈小笠原さんはわかっています。あの人にできることはそれしかない。また、それはあの人のやらねばならないこと。それも承知しているはず。電話をなさい、軽部社長。そのままためらっているのなら、あなたがた二人のうちどちらか一人を殺すほかはない。それはできることなら、私もしたくはありません〉

軽部は受話器を手で被って声をひそめた。

「どうしてわれわれが殺されなければならないんだ。大月や永井とはちがうぞ。話は進めているじゃないか」

〈わかりませんか、軽部社長〉

「わからんね。まったく納得がいかない」

溜息が聴こえた。宋英明の声の向こうでは不穏な交響曲が鳴っていた。

〈それなら、納得のいくように説明しましょう。いいかね、軽部社長。九洋物産の大月と永井はね、あなたがたを動かすために殺した。大月が死ねば篠田郁磨が動く。永井が死ねば高松貞彦が動く。そして、もちろん軽部順一も日比野義政も動くね。みんなが動いて初めて、小笠原会長は考えます。自分のできること、やらねばならぬことを〉

軽部は混乱した。

「高松議員は動いていない」

〈ああ。あの人は用心深い。様子を窺っています。だが、動きました〉

「高松が動いた？」

〈はい。動きました。じきにわかります。だからもうあなたはためらってはならない。いいですか軽部さん。弥勒丸の引き揚げは、年寄りだけではできない。あなたと、日比野専務と、もうひとり久光律子さん。若い三人が力を合わせて、老人たちを動かすのです。世の中、そういうものですよ〉

宋英明は沈黙する軽部に「もしもし」と呼びかけた。

〈小笠原さんには、きっぱりと言って下さい。宋英明が百億円貸せと言ってる、と。お願いしますよ〉

強く念を押してから、電話は突然と切られた。

事務所の前の路上に見なれぬ黒塗りのリムジンが止まっていた。

軽部は歩度を緩めた。銀座では珍しくもない車だが、このところすっかり臆病になっている。

ガラス越しの視線を感じて、軽部は立ち止まった。後部座席の窓が開いた。

「軽部順一さん、ですね」

人通りの多い町なかである。怖れることはないと軽部は思った。

「はい、軽部ですが」

シートにもたれたまま、紳士はまっすぐに軽部を見つめている。薄い髪をぴったりとなでつけた、ふくよかな顔だった。口元は微笑んでいる。

「高松です」

と、男は唐突に言った。

二人はたがいを値踏みするように見つめ合った。

「思い立って事務所をお訪ねしたのですが、きょうが日曜だということをすっかり忘れてましてね。ここでお待ちしておりました」

高松貞彦の顔は知らなかった。襟元の議員バッジを確かめながら、まさか手のこんだかたりではあるまいなと軽部は疑った。

「どうして私の帰りがわかったのですか。事務所に連絡はしていないのですが」

「さきほど、大磯から電話がありました。軽部さんは銀座に戻ったと。——ああ、ご心配なさらなくともけっこうですよ。私は本物ですから」

「ご用件は？」

軽部が窓辺に近寄って訊ねると、男はふしぎそうな顔をした。

「ほかの用件は考えられますまい。船のことです」

船とは、むろん弥勒丸にちがいなかった。ともかく本物の高松貞彦であることはわかった。

「少し車の中でお話ししませんか。どうぞ」

運転手が駆け寄ってドアを開けた。

ためらう理由はない。リムジンの車内は運転席との間にガラスのしきりがあった。

「どちらへ」

と、軽部は訊ねた。

「いや。しばらくベイ・エリアでも走りましょう。ドライブはお嫌いですか」

車が表通りに出るまで、高松貞彦は黙りこくっていた。話の順序を考えているふうだった。

「秘書の件で、ちょっと取りこんでおりました。警察に呼ばれて調書を取られたり、マスコミを押さえたり、いやはや大変な災難でした。きょうは大磯にも招かれていたのですが、そういう事情がありまして」

軽部はリア・ウインドーを振り返った。跡をつけられている様子はない。

高松はシートから背を起こして、名刺を差し出した。

――衆議院議員　高松貞彦
字面《じづら》をじっくり改めてから、軽部も名刺を差し出した。

「銀行にお勤めでいらしたとか。リストラですかね」

冗談めかして高松は言った。

「いえ、不始末です。プライベートならば関係ありませんな」

「そうですか。プライバシーならば、話しますが」

「お聞きになりたければ、話しますが」

「いや、けっこう。実はあなたのことは調べさせていただきました。頭取とは昵懇《じっこん》ですので」

「僭越《せんえつ》ですね、それは」

少し愕いたように、高松は軽部の横顔を見た。

「失礼。どうかお気を悪くなさらず」

「いえ、高松さんがそうなさるのはごもっともでしょう。僭越だというのは、頭取のことですよ。銀行に私のデータが残っていることも、もちろんそれを部外に公表することも、あってはならないと思いますが。ちがいますか」

「頭取は悔やんでおりましたよ。海外で何年か辛抱してくれたなら、呼び戻すつもりだったのだそうです」

そんな話があったのだろうか。出向を命ぜられたとき、銀行の意思が耳に届いていたならば人生はまったくちがっていただろうと軽部は思った。

今さら考えても仕方のないことだが。

「警察で私の名前は出ましたか」

「いや、それはなかった。船の一件については関知していませんよ」

「マスコミは？」

「それも、ありません。むしろこのところの政界のありさまにばかり注目しておりましてね。ほら、私もこの数年の間に、所属政党の名が何度も変わりましたでしょう。そうしたこととの関連をいろいろと訊かれました」

「まさか人が死ぬほどのことではないと思いますが」

「さあ——それはどうですか。けっこう妙な事件が起きていますからね。表沙汰にならないだけで」

　またしばらく窓の外を見てから、高松貞彦は話の順序を思いついたように言った。

「あなたのパートナーについても、調べさせていただきました。僭越ですかな」

「いや。当然でしょう」

「日比野義政さんは、自衛隊のＯＢですからすぐにわかりましたが、久光律子さんは難しかった」

「新聞社はガードが堅い？」

「いえ。個人的なデータは手に入ったのですが、あなたがたとの関連がわからなかった」

　軽部は苦笑した。企業が保存する個人ファイルなど、しょせんはその程度のものだ。

「久光律子は、かつての恋人です。銀行マンとしての未来のために、私は彼女を捨てました」

車はたそがれの晴海通りを、海に向かって走った。

築地を過ぎると、風景は人の営みを感じさせぬほど無意味なたたずまいに変わっていく。シートに取付けられたインターホンを押すと、高松は速度を落とすよう運転手に指示した。

茫洋とひらけた夕空を見上げて、高松はぽつりと呟いた。

「私は海軍兵学校の出身です。終戦時には少尉でした」

話が突然と翻ったとたん、西陽が雲間に翳《かげ》った。高松貞彦の表情から笑みは消えていた。

「たまたまシンガポールにおりましてね。――そう、まったくたまたまです」

言ったとたんに、高松はきつく目を閉じた。長い沈黙は話の順序を考えていたのではなかろうと軽部は思った。

語り出すためには彼自身の古傷に触れなければならない。どういう話し方をすれば痛みが軽くてすむのかと、まるで少年がかさぶたを剝《は》がすように考えこんでいたのだろう。

いきなり弥勒丸とのかかわりを切り出させるのは酷だと、軽部は思った。

「高松さんは海上幕僚長までお務めになられましたね。旧軍でいえば、何に相当するのですか」

高松の表情が少し緩んだ。

「軍令の総指揮官ですから、軍令部総長と連合艦隊司令長官を兼ねたようなものでしょうか」

「ということは、海軍大臣？」

「いえ。帝国海軍では、軍政を海軍大臣が、軍令を軍令部総長が担当していました。どちらも現役の海軍提督ですな。だが今日の自衛隊はシビリアン・コントロールを原則としておりますから、海軍大臣は文官である防衛庁長官に相当します。軍令の総指揮についても、内閣総理大臣、防衛庁長官という順序があるのでね。ですから海幕長といってもかつての軍令部総長のような権限はない」

話すほどに高松貞彦の表情はやわらいだ。

「旧軍の出身者は、みなさん定年で退職されましたね」

「はい。兵学校の最後の卒業生である私がとうに定年になったのですから。今はもう防大卒の時代です」

「変わったでしょうね、自衛隊も」

「そりゃそうですよ。陸軍士官学校や海軍兵学校の時代が終わって、戦を知らない防衛大学卒の幹部ばかりになったのですから。良くも悪しくも、文字通りの自衛隊になりました」

高松は話しながら自嘲的な笑い方をした。おそらく自衛隊の出生時からずっと、その成長にかかわってきたこの「老兵」には、口に出しては言えぬ不満も多くあるのだろう。

彼は血も硝煙もない陰湿な戦を、半世紀も続けてきたのだ。

「ところで、無駄話はこのぐらいにして――」と、高松貞彦は真顔になった。

「昭和二十年の四月にシンガポールにいたのは、まったくたまたまなのです。フィリピンの南西方面艦隊勤務を命ぜられましてね。――なにしろ血気にはやった少尉候補生ですから、血判をついて最前線を志願したのですよ。ところが、赴任途中で台湾の高雄まで行ったら、命令が変更になった。つまり、フィリピンは陥落して、南西方面艦隊は潰滅してしまったというわけです」

「それで、シンガポールへ？」

「まあ、そういうことです」

高松貞彦はふくよかな頬を慄わせて溜息をついた。リムジンは荒野のような埋立地の道を、ゆっくりと走り続ける。

「私の一生のうちで、まああれほどがっかりしたことはない。高雄警備府の宿舎で正体もないほど酒を飲んで、飛行場の滑走路に大の字になって寝ました。わからんでしょうなあ、あなたには」

高松はあんがい人の好さそうな目で、軽部の横顔を見つめた。

「理解しろというほうが無理ですね。わかったような顔をするべきでもありませんし」

「そうです。時代の苦悩はその時代を生きた者だけが背負えばいい。変に申し送ろうとするから、まちがいをくり返す。――ちなみに、お伝えしておきましょう。あのとき私はね、死に場所を失ったと思ったんです」

「死に場所、ですか……」

「はい。どのみち死ぬと思っていましたから、どうせ死ぬなら海軍軍人らしく、海の上で艦と運命をともにしたかった。これは本音です。見栄もてらいもない」

高松貞彦は思いついたようにシガー・ケースを取り出し、軽部に勧めた。ライターの火を向ける様子は、いかにも人に言えぬことを口にしているというふうだった。

「シンガポールに行くことになったいきさつは？」

「ああ、いきさつというほどのことじゃないと思うのですがね。当時、シンガポールには第十方面艦隊が残っていた。麾下《きか》の艦隊はシンガポールとスラバヤにおりましたか。艦隊というよりむしろ、南方資源の輸送船団と護衛の駆逐艦、それと潜水艦の編制だったと思いますが、ともかく船はあった。そこで、第十方面艦隊司令部付という命令が出たわけなのです」

「どうしてがっかりなさったのですか。シンガポールもいずれは戦場になるはずだったでしょう」

「いや」と、高松は首を振った。

「シンガポールに敵はこないと思っていた。もうあのころの戦局では、意味がないですよ。シンガポールはフィリピン戦の兵站《へいたん》基地だったのですから、フィリピンを取ってしまえば戦略的な価値はない。少なくとも海軍側の判断では、安全な場所でした」

車は公園に造成された埋立地を走っていた。

「私はね、あの戦で死に損ねて以来、海が嫌いになったんです。だから自衛隊時代も、ほとんど陸上勤務についていましたし、プライベートでも海へ行ったという記憶はありません。子供らや孫たちには気の毒ですが」

「自衛隊では、そのような希望は通るのですか」

「それがですね、けっこう通るのですよ。防大出の若い連中は無理ですが、私ら海軍出身者はね、上の人たちもよく立場を理解していてくれまして。乗艦が撃沈されて漂流経験のある者は、二度といやですよ。それこそ見るのもいやです。船も、海もね」

「高松さんは、そうした経験がおありなのですか」

高松の顔色が翳った。

「ちょっと外の空気を吸いましょう。やあ、いい景色だ」

言葉をはぐらかすように、高松は車を止めるよう運転手に命じた。

レインボーブリッジを正面に見る、お台場の海浜公園だった。高松は背広を脱いで運転手に手渡すと、渚《なぎさ》に向かって階段を下りた。

「私は、そういう目には遭っていません。運が強いんですね。フィリピンに行けば当然死んでいただろうし、シンガポールに飛ぶのだっていちかばちかみたいな戦局でしたが、ともかく無事に着任した。――平和な町でしたねえ、シンガポールは。そう、一年中こんな日和《ひより》でした」

たちまち額に噴き出た汗をハンカチで拭うと、高松貞彦は空を見上げた。

公園の渚からは、新橋や銀座の町なみが手に取るように望まれた。

「私がシンガポールに到着した、その日ですよ。あの船が着いたのも」

「弥勒丸、ですか」

高松は答えなかった。年齢より五つ六つは若く見える肌つやのよい顔を、じっと対岸に向けているきりだった。

「こんなことは、倅《せがれ》にも、家内にも話してはいないんですよ。大磯の会長と会っても、まず避けますね。思い出話は」

高松はネクタイをくつろげ、ワイシャツの袖をたくし上げた。とても七十を過ぎた老人には見えぬ、頑丈な腕だった。

「私は愚痴を言います。あなたがそれを聞き流すか、心に留めるかは勝手ですがね」

おそらく高松は、この話をするために海まで車を走らせたのだろうと軽部は思った。書斎やホテルの一室で語り出す自信は、なかったのだろう。

「聞かせてもらえますか、高松さん」

高松は肥えた咽を鳴らして言葉をためらった。それから、ようやく毒を吐き出すように言った。

「シンガポールに着任して私が受けた命令は、弥勒丸乗船者の人選でした」

三名の少尉候補生と連絡要員を乗せた海軍一式陸攻が、シンガポール東端チャンギの飛行場に着陸したのは、赤道直下の青空がめまいのするほど晴れ上がった午後だった。

純白の防暑衣を着た少尉がトラックの助手席から下りてきた。いかにも庶務係という感じの老士官である。

「やあ、ご苦労さん。無事で何よりです」

報告を受けるふうもなく、また自分はそういう立場ではないとでもいうように、呑気《のんき》な笑顔を若者たちに向けた。

「高松少尉はいるかね」

高松貞彦は一歩進み出て敬礼をした。

「本官はいまだ任官前です」

「ああ、そうか。だがじきに少尉だ、それでもよかろう。——ええと、他の二名は方面艦隊司令部の車があっちに来ておる。高松はここに残れ」

二人の同期生は敬礼を交わして走り去った。

老少尉は草むらを踏みながら、トラックに向かって歩き出した。

「防暑衣は支給されているかね」

「はい。高雄警備府で待機中に受領しました」

暑い。長袖の二種軍装と正帽ではたまったものではない。

「自分は第十方面艦隊司令部付の命令を受けていますが」

「ああ、それは変更になった」

と、こともなげに少尉は言った。ルソン艦隊勤務のはずが、後方のシンガポール艦隊付に変更されただけでも悔やしい思いをしたというのに、いったいどういうわけだと怒鳴りちらしたい気分だった。

「変更、とは？」

「特務機関へ行ってもらう。昭南特務機関だ」

名称の響きはどことなく勇ましいが、それが具体的にどういうものであるかは知らない。

「機関長の小笠原大佐から、本日着任予定の少尉候補生のうち一名を出向させて欲しいと連絡があった。陸軍の指揮下に入るのは不本意だろうが、悪くはないぞ。なにしろ特務機関はラッフルズの貴賓室を占領しておるからな」

「ラッフルズ、とは何ですか」

あ、と老少尉は高松を振り返った。

「昭南については何も知らんのだな」

「はい。自分は比島に行く命令を受けておりましたから」

「そうか。運が強い男だな」

　高松は腹が立って仕方がなかった。死ぬつもりで比島行きを志願し、また死ぬ気で昭南まで直掩機《ちよくえんき》もない陸攻で飛んできたというのに、「運が強い」などという言い方はあるまい。むしろ「運のない男だ」と言うべきだろうと思う。

「イギリスが建てた名物ホテルだよ。冷房完備、厨房では頰の落ちるような西洋料理を作るのだそうだ」

　灼けた運転台に乗りこむと、老少尉はいっそう無気力な表情で言った。

「ひとつだけ承知しておいた方がいい。昭南では、陸軍と海軍でものの考え方がちがう」

「と、申しますと？」

　少尉は言葉を選んだ。トラックはチャンギの草原を走り出した。

「そのあたりは内地でも同じだと思うがね。ともかく陸軍さんは威勢がいい」

「お言葉ですが、本官も意気は盛んです」

「そう、その意気、その意気。その勢いならばうまくやっていける」少尉は頼もしげに高松の肩を叩いた。

「考え方のちがいというのはだね、戦の大局についてではない。昭南がこのさきどうなるかということについて、陸軍と海軍では見解が異なっている」

「率直にお聞かせ下さい」

「つまりだな、海軍の考えでは、昭南は比島戦線の兵站基地だった。だから敵がマニラを制圧してしまえば、戦略的な意味はない。ところが陸軍は、ここは大英帝国の土地だから、必ず敵は奪還にくると考えている。そんなことはあるはずはない」

「なぜわかるのですか」

「わが軍が昭南をまっさきに落としたのは、南方の資源を掌握《しょうあく》するためだ。比島を制圧して制海権を握ってしまえば輸送船は動けないから、敵はわざわざ血を流してシンガポール要塞を攻撃する意味がないだろう。ちがうかね」

「自分にはよくわかりません。ただ、そういう弱腰ではいかんと思います」

老少尉は苛つくような大声を立てて笑った。

「まあ、そのうちわかるさ。南方軍の寺内元帥は、自給自足をしてでも徹底的に戦うと豪語しておるそうだ。おかげで昭南の方面軍司令部も決戦準備に大わらわさ。軍司令官閣下から二等兵に至るまで、みな昭南決戦を信じている。――つまり、陸軍さんのその威勢のよさを承知しておけ、ということだ」

言いたいことは山ほどもあったが、高松は言葉を呑み下した。こんな腰抜けのロートル士官と言い争っても始まるまい。

車は舗装された道路を西に向かって走った。

平和な風景が続く。徹底抗戦とはいうものの、陣地を構築している様子はなかった。ただ、輝くばかりの草原に南洋の陽射しがはじけ返るばかりである。

「きょう、弥勒丸とかいう立派な船が入港したらしい」

「弥勒丸――?」

聞き覚えのある名だった。

「ああ、帝国郵船の客船ですね。まだ無事でしたか」

「何でも、敵俘虜《ふりよ》のための救援物資を積んで、あちこちを回っているらしい」

「敵の俘虜、でありますか?」

「そう。狐につままれたような話だな。国際赤十字の物資だそうだ」

ラッフルズ・ホテルはシンガポールの中心に、巨大なたたずまいを誇っていた。三階建てだが、高さはおそらく五層のビルディングに匹敵するだろう。白亜の壁とルネッサンス様式の屋根は、まるで鴇色《ときいろ》のたてがみを持った白い獅子のようだ。

車寄せには衛兵が立っており、冷房のきいたロビーに入ると、防暑服の陸軍将校ばかりが行き来していた。

「みな方面軍の将校だ。いちいち敬礼する必要はないよ」

老海軍少尉は参謀飾緒を吊った高級将校など目に入らぬように、三階まで吹き抜けになったロビーの中央を歩いた。

「二言めには決戦だ決戦だと言うから、送還者の人選が大変だ。おかげでぴかぴかの少尉候補生まで供出せにゃならん」

「どういうことでありますか」

大理石の階段をのんびりと昇りながら、老少尉は言葉を選んだ。

「まあ、そのつまり――弥勒丸に乗船する人員をだな、選別する任務らしいんだが。けっこう大変だと思うぞ」

「はあ……」

いきなりそう言われても、さっぱり見当はつかない。攻撃を受けない赤十字の船に乗って内地に帰還する人間の選別、ということだろうか。

この平和な町で、その任務が大変なものだとは思えない。少なくとも連日のようにB29の猛爆撃にさらされている内地の都市よりは、ずっと安全で優雅な町だろう。

「選別しなければならぬほど、帰国希望者がいるのですか」

「だから、陸軍の連中が悪いのだよ。決戦だの玉砕だの徹底抗戦だの、まるで死に狂いみたいなことを吹聴《ふいちょう》するから、志願者が殺到した」

「そのような任務を、どうして自分が――」

老少尉は伜を見るように微笑みかけた。

「それはだね、つまり海軍側との連絡係さ」

「弥勒丸の運航に関しては、陸軍の船舶課が指揮をとっている。乗船者の選別も第七方面軍が行うから、海軍は口出しできない。だが、第十方面艦隊司令部との間の連絡係は必要だな。その役どころには、ロートル少尉よりも兵学校出の少尉候補生の方が好ましい、というわけだ。ということで、自分はつつがなく申し送り、艦隊に戻る」

「連絡係、ですか……」

少尉は赤い絨毯を敷きつめた三階の廊下に上がると、いかにも任務の引き継ぎをおえたというふうに高松貞彦の背中を押した。

「お待ち下さい、少尉」

早くも階段を下りかける老少尉を、高松は呼び止めた。少尉は面倒くさそうに振り返り、午後の陽の射し入る廊下の先を指さした。

「扉は開いているから、行けばわかる。健闘を祈るよ、高松少尉」

ラッフルズの貴賓室に足を踏み入れたとたん、高松貞彦は花柄の絨毯の上に棒立ちになった。

象牙色の壁にシャンデリアが映え、広く高いガラス窓には薄桃色のカーテンが八の字に束ねられている。

事務机から神経質そうな陸軍の下士官が目を上げた。階級だけでいうのなら少尉候補生の自分の方が上だが、それは認めぬとばかりに曹長は立ち上がろうともしない。

「昭南特務機関は、ここか」

できるだけ居丈高に、高松は言った。下士官は高松の若さを侮《あなど》るように、気合のない答え方をした。

「はい、そうです。ああ――台湾からきた少尉候補生ですね。どうぞ、お待ちかねです」

部屋は広く、天井は高い。まるで巨人の国に迷いこんだようだ。それとも英国人はみなこれほど体が大きいということか。

奥の間の扉が両開きに開いていた。曹長は高松を手招いて立ち上がり、扉の前まで進んで腰を折った室内の敬礼をした。

「高松少尉候補生が到着いたしました」

「よし、通せ」

午後の光をレースのカーテンで遮った角部屋である。白い被いをかけた椅子に、詰襟の軍服をきちんと着た将官が座っていた。

向き合っているのは、防暑服の大佐である。

「かけたまえ」

と、大佐は厚いメガネを輝かせながら、高松を呼んだ。

「申告はよろしい。突然の命令でさぞ愕いたろうな。こちら、板垣閣下」

まったく軍人らしからぬ物言いで大佐は言った。将官は第七方面軍の板垣征四郎軍司令官だ。満洲国建国の立役者といわれ、陸軍大臣まで務めた名物将軍である。

高松は初めて間近に見る陸軍大将の威風におじけづいた。

「高松少尉候補生、ただいま高雄警備府より着任いたしました」

板垣は敬礼には答えずに、口ひげを少し歪めて笑った。

「ごくろうさん。無事で何よりだ」

勧められるままに、高松は腰を下ろした。

「堅くならんでもいいよ。特務機関員に礼儀などはいらん。なにしろ機関長の小笠原君も、実は内務省からの出向だ。他にも、日銀、商社、外務省と、いろいろな人種がおる。便宜上、みな軍服を着ておるがね」

高松は機関長を見た。なるほど内務官僚と言われればそんな風貌である。

板垣大将は茫洋とした口調で言った。

「艦隊参謀長から聞いたのだが、君は〈恩賜《おんし》の短剣〉組だそうだね。何期になるのかな」

「七十四期であります」

高松は恥じた。海軍兵学校の成績上位者十名に下賜《かし》される恩賜の短剣といっても、実は「短剣壹振」と書かれた目録しか与えられていなかった。

それが帝国海軍のありさまだった。

板垣大将は椅子の背もたれにゆったりと身を沈めたまま、高松貞彦を見つめた。稚気を感じさせるほどの柔和《にゅうわ》な目である。これがかつて関東軍総参謀長として、また朝鮮軍総司令官として勇猛をはせた板垣征四郎なのだろうか。少なくとも彼の名を聞けば誰もが思いうかべる「軍閥の頭領」の印象はどこにもない。

室内には参謀も副官もいなかった。特務機関とはそういうものなのだろう。

「機関長、任務を伝えてやりたまえ」

と、将軍は小笠原大佐に指を向けた。

この「内務省からの出向」だという大佐は、いっそう摑みどころがない。

「はい、では大まかなところを」

物言いも軍人のそれではなかった。

「けさ昭南に入港した弥勒丸のことは知っているかね」

「さきほど聞きました」

「そうか。弥勒丸は帝国郵船から徴用した虎の子の豪華客船だ。現在は国際赤十字の救援物資を積載して、南方海域の俘虜収容所をめぐっている」

「俘虜ですか？」

「そう。わが軍は物資が欠乏しておるので、敵が用意した食料を弥勒丸が届け回っているのだよ」

高松はいまだに信じられなかった。この危急の折に、そんな夢のような話があるのだろうか。

「どうだね、美談だろう」

と、板垣大将が口を挟んだ。呑気な話を揶揄《やゆ》するように笑う。

「まるで、敵に塩を送るような……」

「そう、美談だよこれは」

板垣は再び手を伸ばして、話の続きを促した。機関長は続ける。

「当然、弥勒丸は国際法上の安導券を持っている。航海中は攻撃を受けず、臨検もされない」

「臨検も、ですか」

「そうだ。外務省はその条件付きで、物資の搬送を受諾した」

これは神話だと高松は思った。

旧約聖書のノアの箱舟の話がふと思いうかんだ。孤立したシンガポールから、人々を故郷へと運ぶ船。そしてその安全は神によって保障されている。

「内地帰還者の人選が任務であると聞いております」

機関長は肯いた。

「ところで高松君。この先の話は軍機に属する」

身構える間もなく、機関長は一気に言った。

「復路の弥勒丸に、軍費を積む。莫大な量の金塊だ。このことは軍司令官閣下と特務機関と、一部の使役要員しか知らない。海軍側は誰も知らない。君の任務はたしかに帰還者の人選だが、そういう機密事項のあることは承知しておいてもらいたい。わかるな、これは軍機だ」

「お待ち下さい、機関長」と、高松は身を乗り出した。

「それは国際法上の信義にもとるのではありませんか。安導券を隠れ蓑《みの》にして軍費を搬送するなどということは——」

ふいに板垣大将が高笑いをした。

「信義にもとる、か。——江田島は良い教育をしておるな。だが、これは決して信義にもとることではないぞ。攻撃もされず、臨検も受けずということはだ、つまり敵は俘虜のための物資を運ぶ見返りとして、復路の積載品を黙過するというわけだ。わかるかね、これは取り引きだよ。ならば、この好機に日本にとって最重要の物資を輸送するのは道理だろう」

大将はそれきり、言葉も笑い声もとざした。柔和な笑顔は別人のようにいかめしい軍人の表情に変わった。それ以上は貴官の知るところではない、とでもいうようだった。

「では、実務は機関長から聞きたまえ」

板垣が立ち上がって軍帽を冠《かぶ》ると、控室の曹長が廊下に向かって声を張り上げた。

「軍司令官閣下、お帰りです！」

たちまち軍靴の音が乱れて、飾緒を吊った参謀や副官が駆けこんできた。

敬礼をおえたとき、板垣大将は高松を見つめながら呟いた。

「恩賜の短剣は伊達《だて》ではないな。打てば響く」

「ありがとうございます」

「だが、響いた音は、肚《はら》にしまえ。どのような音であろうと、決して外に洩らすな。これは命令だ」

高松は背筋のこわばるほど萎縮した。世界を敵に回した戦の仕掛人の言葉だった。

将校の一団が去ってしまってからも、高松は不動の姿勢のまま扉に向いていた。

「高松――」と、小笠原機関長が煙草をつけながら呼んだ。

「閣下がおっしゃられたことは、わかるな」

「はい」

「板垣閣下は最後の一言をおっしゃられるために、君を待っていらしたのだ」

高松は板垣大将の言葉を胸の中で復唱した。

(響いた音は、肚にしまえ。どのような音であろうと、決して外に洩らすな。これは命令だ)

赤道直下の陽光が、レースのカーテンを灼きながら射し入っている。

シンガポールは日ざかりの午後だった。

「内地がどのようなことになっているかは、みな知っている。本土決戦が間近に迫っていることもな」

太陽が西空に傾いて力を喪うと、ベイ・エリアには涼風が立った。

みぎわのベンチに肥えた体を沈めて、高松貞彦は語り続けた。

「それが、私と大磯のあの人との出会いだった。復員したのは二十二年の春で、まあ恵まれた部類ではなかったかね。抑留中は気楽なものだったし」

「小笠原会長はご一緒に復員したのですか」

「いや。あの人は戦犯に問われたから、しばらく残った。だが、その間に何があったのかは知らんが、軍事法廷に立つことがなかったら、今のあの人はないと思うよ」

「どういうことでしょう」

「さあ……詳しいことは知らん。しかしGHQはあの人を必要とした。戦後の日本を復興させ、共産主義から守るためには、どうしても必要な人物だったのだろう」

高松貞彦と小笠原太郎の間には、篠田郁磨や山岸修造が小笠原に対するような関係は見出せない。さして敬意を払っているふうはなかった。

「小笠原さんとのお付き合いは?」

「あまりないね。たまに訪ねることはあるが、政治的な話で——私はあの人がそう好きじゃないんだ。もっとも向こうも、私を嫌っていると思う。いろいろあったから」

「復員後は？」

「しばらくぶらぶらしてから警察予備隊に入って、あとはご存じの通り。軍人はつぶしがきかんからね」

オレンジの太陽がビルの上に沈んで行く。海浜公園の水面には屋形舟が集まり始めていた。

「こういう海なら、まんざらでもない。平和なものだ」

「さきほどのお話で、板垣大将の言った言葉がよくわからないのですが」

「ああ、板垣閣下は東京裁判で絞首刑になったな。満洲帝国の生みの親なのだから、仕方がない、か」

高松は質問をはぐらかしている。表情を窺いながら、軽部はもういちど訊ねた。

「弥勒丸に積む物資については口外するなということだけではないようですね」

弥勒丸が予定航路をはずれて上海に向かおうとしたことを、高松は知っているのだろうか。

「自分で言うのも何だが、私は勘のいい方だった。兵学校も首席で卒業したし——」

いちど口ごもってから、高松は太い首をレインボーブリッジに向けた。入海《いりうみ》を跨《また》ぐ美しい橋には、銀色の灯が瞬《またた》いていた。

「あれは、ひどい話だった。陸軍もシンガポールが安全な場所であることはよく知っていた。敵にとって、すでに戦略的な意味はなかったからね。だが陸軍はシンガポールが決戦場になると喧伝《けんでん》した。必ず敵が来攻すると」

「なぜ」

「弥勒丸に満杯の民間人を乗せようとしたんだ。航路をはずれても、決して攻撃できぬほどの非戦闘員を、弥勒丸に乗せた」

話しながら高松貞彦の声は、熱にうかされるようにうわずった。

「シンガポールが安全な場所であることぐらいは、誰もが知っていた。フィリピンが陥落したあとは戦略的に何の価値もない。しかもそこには無傷の板垣兵団がいる。南方から転進してきた部隊と合わせれば三万の大軍だ。なぜ陸軍はそんなシンガポールを決戦場だと言うのか、自給自足をして最後の一兵まで戦うと豪語するのか。私は板垣閣下からきつい口止めをされたとき、ピンときたよ。すべてがわかったような気がした」

暗い仮定が、軽部の胸に被いかぶさった。それはたぶん、かつて高松貞彦が考えたものと同じだろう。

シンガポールが安全であるというもうひとつの理由――その町は多くの人種が共存する平和都市だった。巻きぞえにしてはならぬ非戦闘員が、狭い土地に肩をぶつけ合って住んでいた。そういう国際都市を、連合軍があえて攻撃するはずはなかった。

「ひどい話だな……」

軽部は思わず独りごちた。

シンガポールが空襲さえ受けぬ理由を、陸軍は逆手に取ったのだ。

「つまり、弥勒丸に民間人をぎっしり乗せてしまえば、連合軍はたとえその積荷の重大さを知っていても、攻撃はできないだろう、と」

「そうだ。信じたくはなかったよ。私も帝国軍人として、軍が国民を楯に取って金塊の輸送を成功させようとしているなどとは……。だが、それしか考えられなかった。弥勒丸に乗船した二千人の非戦闘員は、人間の楯だったのだ」

高松貞彦の顔は苦渋に歪んだ。かつて海上自衛隊の指揮官だったこの老人は、半世紀の間その苦悩を誰にも語らずに生きてきたのだろうか。

「大磯では弥勒丸の件だったのだろう?」

と、高松は淋しげに微笑みながら訊ねた。軽部との親子ほどの齢のちがいを、ようやく意識し始めたかのように、言葉づかいは親しげになっていた。

「はい、ずっとその話でした」

「だがおそらく、あの人は多くを語らなかったんじゃないかね」

「いえ、体調がよろしくないにもかかわらず、長い間お話しして下さいました」

「長い短いではないよ。いま私の言ったところまでは、話そうとはしなかったろう」

軽部は黙って肯いた。小笠原太郎が語った内容は、金塊の集積と、その行先が上海だったということまでである。

小笠原の苦悶の表情を、軽部はありありと思い出した。その苦しみの根はまだ深かったのだ。

「そういう人だよ、彼は。忘れてはならないことを忘れようとする。もっとも、その方法で戦後の日本に繁栄をもたらしたのは、彼の功績にちがいないがね。だから過去に引き揚げのチャンスは何度もあったのに、動くことができなかった。動きかけては足がすくんでしまったんだ」

軽部は大磯の邸からずっと口にできずにいたことを、思い切って訊くべきだと思った。

「いったい何者なのですか、宋英明とは」

「さあね……」高松貞彦は星々のまたたき始めた空を見上げた。

「宋英明という男の名は知っている。だが会ったことはない」

この男は嘘をつかないと軽部は思った。老獪《ろうかい》とは言わぬまでも、清廉《せいれん》ではあるまい。だが、言葉には虚飾が感じられなかった。

「宋英明から、さきほど連絡がありました」

「ほう。何だと言うんだね」

高松は動じなかった。長年連れ添ってきた秘書を殺されたのだから、内心は穏やかであろうはずはない。

「督促《とくそく》ですよ。話を先に進めろと、脅かされました」

「大丈夫。宋英明はこれ以上のことはしない」

「なぜわかるのですか。私は怯えていますが」

軽部の顔を見つめて、高松は笑った。

「怯えている？　とてもそうは見えんが」

「悪い人生を送っているものですから、顔に出ないだけです」

それは本音である。日ごろから都内のホテルを転々と泊まり歩かねばならない悪徳金融業者の顔は、すっかり板についていた。

「宋英明はたぶんわれわれ全員の行動を、正確に把握していると思うよ。永井君の一件以来、それは肌で感じている。彼には気の毒なことをしたが、その結果、宋英明の目論見《もくろみ》通りに全員が動き出した。君ら若い人たちを歯車にしてね」

高松貞彦はベイ・サイドのパノラマをぐるりと眺め渡した。

「私が動いたと知れば、彼らはもう手出しはしない。だから私はわざわざ、君とここにこうしている」

軽部も夏の夜のお台場を見渡した。

「どういうことでしょうか」

「つまり——ほら新橋や銀座のビル。たとえば帝国ホテルのタワー・ルームからも、高性能のスコープを持っていればここは見える。レインボーブリッジからも。もちろんそこの、日航ホテルのどの部屋からも——いや、目の前の屋形舟の障子のすきまから、こちらを窺っているかも知れない。あそこからなら集音だってできるな」

宋英明は自分と高松を円形劇場のステージに置いた客席のどこかから、スコープを構えている——。

「私が君と接触すれば、彼の描いた絵図は完成したことになる。起爆剤に使われた永井君には気の毒だが、宋英明の計画は軌道に乗ったわけだ。もう怖《おそ》れることはないよ」

それほどまで緻密《ちみつ》で壮大な計画を立てた宋英明とは、いったい何者なのだ。

「彼が誰かというと——思い当たる節がないではない」

高松の言葉を遮って、携帯電話が鳴った。

日比野義政からの連絡だった。

〈順ちゃん？　——俺だ〉

軽部と同様に感情を顔には出さないが、日比野はいつも声が正直だった。

「どうした。何かあったのか」

〈大ありだよ。こっちはいま、大変な状況になっている。詳しいことは会ってから話すが、

ともかく弥勒丸の生き証人と話しているんだ。それも、リッちゃんと一緒に〉

どういうことだ。まったく別々に行動しているはずの日比野と律子が、ともに弥勒丸の生き証人と対話している。軽部が考えつく人物はひとりだけだった。

「中島吾市か」

〈いや〉と、日比野は唯一の生存者の名を否定した。

〈どうしてここにこうしているかということについては、後で話す。長くなるからな。ともかく、シンガポールの特務機関にいたという人と接触した。いや、正しくは遠い昔から知っていた人なんだが、きょうまでその事情は知らなかった。特務機関で実務にたずさわっていたそうだ〉

軽部は手帳を取り出した。街灯にかざして「特務機関」と書き、高松貞彦に示した。

高松は目をみはった。

「で、その人の名前は？」

〈土屋和夫——〉

ツチヤカズオと手帳に走り書いたとたん、高松の体が揺れた。

「わかった。実はこっちも今、高松議員と会っているんだ。どうもまんざら知らない仲じゃないらしい。どうする」

〈へえ…… わけがわからなくなってきたな。よし、じゃこうしよう。こっちの証人に意思を

訊いてみる。もし高松議員もそのつもりがあるのなら、みんなで飯でも食おうじゃないか。どうだ〉

いかにも日比野らしい提案だった。考え深げに夜景を眺める高松の横顔を窺いながら、軽部は言った。

「簡単に言うなよ。おたがいの立場も予定もあるだろう」

〈なに言ってるんだ。弥勒丸の引き揚げは関係者全員の総意だろう。めかたが重すぎて、ひとりひとりの力じゃどうしようもなかっただけなんだ。少なくともこのじいさん二人は、何を差し置いてでも会わなきゃならない。二人の義務だぞ、これは〉

日比野はわかりやすい男だ。物事を決して難しく考えようとはしない。だがたいていの場合、彼の主張が正当で、かつ正解であることを軽部はよく承知していた。

「よし、説得してみよう。会場の場所は追って連絡する」

〈了解。説得じゃないぞ。これは高松議員の義務だ〉

電話を切って、軽部は高松の肩に手を置いた。肉付きの良い背中は小刻みに慄えていた。

「土屋和夫さんと、これから食事をしませんか」

高松貞彦はきつく目をつむって、こくりと肯いた。

夏の夜の再会

ベイ・エリアのホテルに向かう車の中で、久光律子はずっと土屋老人の掌《て》を握りしめていた。

老いさらばえた牧師の掌は乾ききっていた。

「奥様も、ご一緒の方がよかったかしら」

「いや。彼女には関係のないことですから」

この老いた掌は、半世紀の間いったい何をしてきたのだろう。

数え切れぬ不幸な子供らの頭を撫で、背中を抱きしめ、社会鍋の底に投げこまれた小銭を拾い集め、ホームレスたちに食事の椀を差し出し続けてきた、しわだらけの、乾いたてのひら。

高松という名前を日比野が電話口で言ったとき、土屋に愕いた様子はなかった。ただその一瞬、大粒の涙が老いた頰を伝い落ちた。

「ご無理ではないですよね」

律子はそのときから何度口にしたかわからぬ言葉を、車の中でもういちど囁いた。

答えは同じだった。

「ありがとう。ありがとうございます」

もう繰り返すのはやめようと律子は思った。何度訊ねても、土屋老人は同じ言葉を返すにちがいなかったから。

「ここは、どこなのですか」

湿った空気を吹き飛ばすように、日比野がハンドルを握ったまま明るい声で答えた。

「どこって先生、ベイ・エリアを知らないのか。小隊本部とは目と鼻の先じゃないか」

「ベイ・エリア――ああ、埋立地だね」

それから土屋は、若い時分にはよく夢の島のゴミ処理場に、廃品を拾いに行ったものだ、と言った。

「ゴミ拾い？　何だよ、それ」

「ひとりぼっちの野戦さ」

土屋の呟いた一言で、律子は胸が熱くなった。老人がかつてそこで何をしたのか、すべてがわかってしまったのだ。

「昔はね、みんなが貧乏だったから、バザーの品物が集まらなかった」

「へえ……子供らも手伝ったのか」

「まさか。大事な子供らに、そんなまねはさせられんよ。いくらただだと思ってもね、ゴミを拾うと、人間はそのかわりに矜《ほこ》りを捨てる。同じ分だけのね」

日比野は黙ってしまった。土屋の「ひとりぼっちの野戦」の意味に、ようやく気付いたようだった。

「だが、それにしても変わったものだね。ここが埋立地か」

幻想的な光と闇の風景が車窓を過ぎて行く。ベイ・エリアのホテルで高松貞彦と会ったとたん、この疲れ果てた老人は空気のように消えてなくなってしまうのではなかろうかと、律子は思った。

「あの人には、一番つらい仕事をさせてしまった。五十数年ぶりに会って、僕はいったい何と言えばいいのだろう」

「ご心配なさらないで。高松さんもぜひお会いしたいって――」

土屋は俯いてしまった。

「あの人は立派だね。僕のことなど、もう覚えてはいないんじゃないか」

ルーム・ミラーの中で日比野が答えた。

「俺は、先生の方が立派だと思うよ。政治家は嫌いだ」

「いや、あの人はちがう。いいかげんな気持ちで選挙に出たりはしない」

「自衛隊を退官したとたん、与党から立候補するって、何だかおざなりだよな。自衛官と隊友会の大票田を抱えて、最初から当選確実だろう」

日比野はそんなことを言って、土屋の緊張を解いているのだろうと律子は思った。

外見から思うほど日比野は粗野な男ではない。心根のやさしさと気配りの良さは知っている。少し不器用なだけだ。

「こんな身なりで、愕きはしないだろうかね」

古ぼけた救世軍の制帽を、土屋はきちんと揃えた膝の上に置いた。

「説明しようにも、困るね」

「その必要はありませんわ」

と、律子は土屋を励ました。

まったく説明の要はないと思う。たとえ五十数年の時間が二人の間に横たわっていても、土屋の人となりを知る人間ならば、彼が歩いたであろう足跡とその姿を、たちどころに理解するにちがいない。

「五十年たって少佐のままというのも、何だか気恥ずかしい。あの人は軍人としても出世をとげた」

海上幕僚長という高松貞彦の前職は、旧軍でいえば海軍大将である。今の日本で、戦前の旧軍に比定《ひてい》して考える者はそういないだろうが、少なくとも外国人からはそれと同じ礼遇を受けるはずだ。

「たいしたものだね、あの人は。昔でいう東郷平八郎とか、山本五十六とか、米内光政とか、そういう提督と同じところまで出世してしまった」

「だからさ、先生」と、日比野は苛立つように言った。「そんなのは人それぞれなんだって。俺は先生の方がずっと立派だと思うよ」

直線道路の先に、海浜公園の渚に沿って弧を描くような高層ホテルが現われた。

「ああ、あれですね。予定よりだいぶ早く着いたわ」

土屋はシートに深く沈んだまま目を閉じていた。瞼の裏には、どんな思い出が甦っているのだろう。


車は華やかな光に彩られた正面玄関に滑りこんだ。結婚披露宴が終わったのだろうか、玄関は礼服姿の人々で賑わっている。

ボーイが車のドアを開けると、土屋はよろめくように降り、それから日比野と律子を待たずに、まっすぐロビーに向かって歩き出した。

軽部が手を挙げた。

そのかたわらに、恰幅《かっぷく》の良い背広姿の男が立っている。高松貞彦だ。

広いロビーのはるかに離れた場所で、土屋和夫は立ち止まった。

小がらな体をぴんと伸ばし、救世軍の軍帽の庇《ひさし》に掌を添えて、土屋は遠くの高松貞彦に向かって挙手の敬礼をした。

予想だにしなかった再会の場面に、律子は立ちすくんだ。

はるかな先で、高松貞彦は深々と腰を折った。まるで宮城《きゅうじょう》を遥拝《ようはい》するような、背筋をまっすぐに伸ばしたお辞儀だった。

二人の老人はロビーの広い空間を挟んで、長いことそうしていた。

「さあ、行きましょう、土屋さん」

律子が背を押すまで、土屋は挙げた手をおろそうとしなかった。

高松は人目も憚《はばか》らず、尊いものを待つように、じっと動かなかった。

頭を下げ続ける高松の前まできて、土屋老人はかすれた声をかけた。

「こんな格好で、面目ない」

玄関から入ってきたときの土屋の姿を瞼に刻みつけているのだろう。高松は頭を下げたまま、かぶりを振った。やはりひとめ見て、土屋の上に過ぎた五十年を理解したにちがいない。

高松は何度も首を振った。

「自分こそ、面目次第もありません、少佐殿」

高松ははっきりとそう言った。

体格が立派で押し出しもきき、七十すぎの年齢を毫《ごう》も感じさせない高松の前に立つと、土屋老人はいっそう萎《な》えしぼんで見えた。

土屋は軍帽を脱ぐと、もういちど頭を下げた。厚いメガネの奥に、小さな瞳が輝いていた。

「ご苦労さまでした。あなたのご活躍は存じていたのですけれど……」

「ずいぶん探したんですよ」

と、高松はしみじみと言った。

「探した？　僕を、ですか」

「はい。舞鶴《まいづる》港で解散したあとは、もう誰にも会いたくはなかったのですが、ことあるごとに土屋少佐殿だけは懐かしく思い出しました」

土屋はにこりと笑って軍服の肩に手を当てた。

「僕は、今でも少佐なんです。ドノは付きませんけど、今もそう呼ばれていますよ」

「はあ」と言ったなり言葉を詰まらせて、高松は土屋の身なりを見つめた。

「私も、気持ちは少尉候補生のままです。ずっとそうでした」

二人の老人は半世紀前のシンガポールで、いったい何をしたのだろう。

車の中で、高松には最もつらい仕事をさせてしまったと悔いた土屋の言葉を思い出すと、律子はその再会の場にいたたまれない気分になった。

「個室をとってありますから、ゆっくりお食事でも」

気を取り直したように、軽部順一が言った。

昭和二十年のシンガポールは、どの民族の暦にもありえない異常気象に見舞われていた。雨季は十一月から二月にかけてだが、四月に入ってからも毎日のようにスコールがやってきた。比島の戦火が雨雲を呼んでいるのだというまことしやかな噂が流れ、土屋和夫もそう信じていた。

首都マニラは陥落し、山下兵団はルソンの山間部に転進中だという。マニラが陥《お》ちればシンガポールに大爆撃が開始されるのだと、住民たちは信じきっていた。

もちろん土屋和夫も、それを信じた。

ロシア人の少女をソフィアの丘の救世軍施設に送り届けて、土屋がラッフルズ・ホテルに戻ったのはスコールに煙る夜である。

ロビーで小笠原に呼び止められた。

「どうだった。お人形さんはうまく箱に入ったか」

「はい、何とか。カタコトの通訳もおりますし、落ち着いているようです」

「それは良かった。あとのことは看護婦に任せればいい。君もたまには様子を見に行くようにな」

意味ありげに笑いかけて、小笠原は広いロビーの隅を指さした。一脚の椅子と卓が片付けられ、竹細工の仕切りが立てられている。

「あそこに乗船志願者の受付を設ける。実務については少尉候補生に命じてある」

「少尉候補生、ですか」

紺色の長袖軍服を着た海軍士官が立ち働いている。顔に見覚えはなかった。

「ロートル少尉殿に任せるつもりだったが、どうも心許ないので、急遽、艦隊司令部から回してもらった。さきほど台湾から到着したばかりだそうだ」

「はあ——大丈夫ですかね。ずいぶん若いが」

「なかなかしっかりしているよ。兵学校は首席で出たそうだが、やはりちがうね。目から鼻に抜けるようなやつだ」

はたちそこそこということになる。体は頑健そうだが、表情にはまだ稚《おさな》さが残っていた。酸いも甘いもわかる老少尉の方が適任だとは思うのだが、なぜよりにもよって少尉候補生などに交替させたのだろう。

小笠原は階段を昇って行った。

「ごくろうさん——やあ、ここはいいな。行列を作ってもじゃまにはならん」

言いながら土屋が歩み寄ると、少尉候補生は初々しい敬礼をした。

「土屋少佐、ですか」

大声に面食らった。

「ああ、そうだ。貴官は?」

「申し遅れました。高松少尉候補生です」

「了解。わかった。それほど気合を入れんでもいいよ。事務仕事だからな」

使役の兵隊たちは、高松の大げさな挨拶に苦笑していた。土屋は柱の蔭に高松を呼んだ。

「隊長殿から聞いているかもしれんが、自分も実は軍属だ。それに、このラッフルズでは、あまり大声は出さん方がいい。僕も――いや自分も照れくさいからな」

土屋の言葉で、高松はいくらか肩の力を脱いた。

竹細工の衝立《ついたて》をめぐらし、事務机を運び入れると、ロビーの一角は立派な受付所になった。

「こっちから訊くのもおかしいが、手順を説明してくれるか。何も聞いていないんだ」

はっ、と姿勢を正して、高松は受付所の囲いの中に入った。手に持っていた書類箱を机に置く。

「受付は明朝八時から十七時までの三日間、とりあえず受付簿に必要事項を記載して、決定者には各個に通知するそうです」

何ともあわただしい話である。弥勒丸がムントクから戻るのは二十日後の予定なのだから、それほどまで性急にことを運ぶ必要はなかろうに、と土屋は思った。

高松は机の上に帳簿を開いた。「弥勒丸乗船者名簿・甲」と書かれたぶ厚い帳面には、すでに多くの人名が記載されている。

「何だ、これは」

「軍司令部の参謀から渡されました。すでに千名は決定しているということであります」

帳面を繰りながら、土屋は次第に怒りを覚えた。乗船予定者の二千名のうち、半数の千名は決定している。しかもそれらはすべて、軍人とその家族、大東亜省や派遣官庁の役人、民間企業の社員である。

「許しがたいね、これは」

と、土屋は高松に同意を求めた。しかし若い少尉候補生は答えずに、推《お》しはかるようなまなざしを土屋に向けた。

「――そう思われますか、土屋少佐は」

「当然だと思うかね、貴官は」

「いえ……」

高松は何を言いたいのだろう。しきりに言葉を探している。

「一般市民をさしおいて、軍人や官吏が内地に逃げ帰るつもりなのか。君はそれが当然の権利だと思うかね」

睨むような目付きで、高松はまた土屋の表情を見据えた。

「何か考えがあってのことだと、自分は思います」

「考えとは何だ。戦のありさまを見れば、優先順位は自明だろう。まず、女子供、老人、それから軍官の家族、一般市民の男子、役人や民間企業の人間はその後だ。軍人が乗るなど、滅相もない」

土屋は指を折りながら言った。

「少佐は、まことそのように考えておいでですか」

「当たり前だ。ほかに何が考えられる。隊長殿に談判する。行こう」

高松は土屋の腕を引き寄せた。

「土屋少佐、その前に折入ってお話があります」


スコールの上がった中庭は涼しかった。

パラソルの下で、土屋和夫と高松貞彦はマレー人のボーイが運んできた南国の果汁を飲んだ。

四方はルネッサンス様式の高窓を並べた、三層の白壁に囲まれている。スコールに冷やされた風が、たそがれの空から吹きおろしていた。

「何だか夢のようですね、ここは。遠洋航海に出て、上陸したみたいです」

「世が世なら、そういうこともあったろう。おたがい身の不運だな」

「いえ。不運などとは思いません。自分は軍人ですから」

海軍兵学校卒の純粋培養された軍人を、小笠原は指名したのだろう。たしかに機密保持という点では望ましい人選だ。

しかし、その土屋の考えはすぐに覆《くつがえ》された。

「土屋少佐は軍属だと言っておられましたが、まことでありますか」

「そうだ。日銀の者だよ。急に軍服を支給されて困っている」

「日銀？　日本銀行ですか」

「ついこの間までクアラルンプール支店にいた。それがどうかしたかね」

高松は決して土屋から目をそらさなかった。まぶしいほどの一途《いちず》な青年士官の目である。

「では、折入ってお訊ねいたします」

「何だね。軍隊のことはよくわからんよ」

「ですからなおさら、折入ってお訊ねしたいのです」

高松がとてつもないことを言いそうな気がして、土屋は周囲を見渡し、琺瑯《ほうろう》のテーブルに身を乗り出した。

「何だ――」

高松は土屋を見据えたまま、息のかかるほどの間近で声を絞った。

「昭南に敵は来ません。なぜこの町で玉砕戦をするなどと陸軍は喧伝するのですか」

「敵が来ない？　どういうことだ、それは」

「比島戦のあとの敵の戦略目標は、台湾か沖縄です。自分は高雄警備府で別命待機中に耳にタコのできるほど聞かされておりました」

「それは台湾での話だろう。どこでも有事に備えての戦闘準備をしている」

「いえ。自分は警備府の志摩中将から会食に招かれ、直接そううかがいました。また、陸軍の第十方面軍の参謀からもそう聞きました」

それから高松は、敵がシンガポールに戦略的な価値を見出していないという予測の根拠を、綿密に説明した。

それは戦術にはまったくうとい土屋にも、十分に説得力のある内容だった。

「君は陸軍が故意にそんなデマを流しているとでもいうのか」

「そうとしか考えられません」

「なぜそんなことをするのだ。その理由は？」

高松はいっそう声を絞った。

「弥勒丸に乗船する希望者を増やすためです」

テーブルの上に身を乗り出して睨み合いながら、土屋もさらに声を絞った。

「なぜだ」

「内地は焼野原で食料も底をついています。本土決戦すら叫ばれているのです。一億玉砕だと。この平和な町を捨てて、玉砕をするために内地に戻ろうとする者はいないはずです」

「だから、なぜだ。はっきり言いたまえ」

「陸軍は弥勒丸に二千人の非戦闘員を満載して、楯に使うつもりです」

まさか、と言いかけて土屋は背筋を凍らせた。高松の推理は荒唐無稽に聞こえるが、考えてみれば破綻はない。いやむしろ、死に狂《ぐる》いの陸軍軍人たちの主張よりも、ずっと論理的である。

「つまり、君の言う通りだとすると、軍関係や役人を優先的に乗せるのは、せめてもの軍の良心だということになる」

「そういうことになります。ですから、その点について簡単に談判などするべきではないと思います」

乗員を積載物の楯に使う――はたしてそんな乱暴なことを、陸軍は考えているのだろうか。

「弥勒丸は何トンの船でありますか」

と、高松は訊ねた。

「一万七千トンだったと思う」

「ならばなおさら――」高松は唇を噛んで中庭の空を見上げた。

「自分は客船のことはよく知りませんが、一万七千トンという総排水量は、軍艦でいうならさほど大きなものではありません」

「そうなのか」

「重巡よりは大きいが戦艦よりはずっと小さい。ちょうど民間船を改造した小型空母の大きさです。二千人の帰還者は甲板にまで溢れます。そのありさまは、敵の偵察機からも、潜水艦の潜望鏡や魚雷艇からも、はっきりと視認できるはずです」

頭のいい男だ。兵学校を首席で卒業したのだと小笠原は言っていたが、なるほどその推理は明晰《めいせき》である。

引き込まれてはならないと、土屋は身を起こした。

「君の言わんとすることはよくわかった。たしかに一考の余地はあるな。ただし、飛躍的ではあるよ。なぜなら――」と、土屋は高松の真剣なまなざしを睨み返した。

「なぜならば――弥勒丸は国際法上の安導券を保障されている。攻撃も受けない、臨検もされない。つまり、楯を並べる必要などどこにもない」

高松は腕組みをして、低く唸った。

「自分の、考えすぎということでしょうか」

「この戦局なのだから、物事を悪く考えるのは致し方ないがね」

心に留めておくだけの値打はあると土屋は思った。弥勒丸が寄港するまで、まだ間はある。

その夜から、土屋和夫はラッフルズ・ホテルの一室を宿舎としてあてがわれた。

中庭を見下ろす三階の部屋である。天蓋《てんがい》の付いた大きな寝台と執務机のほかに来客用のソファもあり、いつでも湯の出るシャワーまであった。

西洋式の便座には閉口したが、ともかくも贅沢な部屋である。

ブラスバザー・ロードに面した廊下に出ると、右隣は小笠原機関長、左隣は高松少尉候補生の部屋だった。

不確定なことは口にするなと、土屋は高松を叱った。しかし土屋の頭の中は妙に説得力のある高松の推理でいっぱいだった。

高松は艦隊司令部に向かった。小笠原が部屋に戻った様子はない。灯火を遮《さえぎ》る黒いカーテンが、広い客室を暗欝にしている。

寝台に軍刀と拳銃を投げ置くと、土屋は寝転んで天井を見上げた。

考えこむほどのことではあるまい。しかし高松の推理は、乗員に関する談判をあきらめさせた。もういちど冷静に考え直してみようと土屋は思った。

千名の優先乗員は、方面軍が選定したものである。その点について、なぜ小笠原が異議を申し立てなかったのかという疑問も残る。帰還志願者の名簿を作成することは特務機関の任務なのだから、小笠原には異を唱える資格があるはずだった。

しかし小笠原はそのことについて、土屋に何も伝えなかった。なぜだ。

もしかしたら高松の推理は事実なのではなかろうか。小笠原はすでにすべてを承知しているのではなかろうか。

緊密な時間が過ぎて行った。

青ざめた青年士官の顔と絞り出すような声ばかりが思い起こされた。

（もし仮に――）

と、土屋は象牙色の天井を見上げながら自問した。

（もし仮に、弥勒丸の船倉に積む機密物資のことを敵が察知していたとしたら――）

それは高松の思い至らなかった仮定である。だが土屋にはその想像の方が怖ろしかった。

もしスパイによって、あるいは暗号の解読によってその機密が洩れていたとしたら、敵はどういう手を使って作戦を阻止するのだろうか。

弥勒丸は攻撃されない。臨検も受けない。そうした国際法上の保護のもとで、敵が軍費の搬送を阻止するとしたら――。

（誤爆！）

土屋は寝台の上にはね起きた。この戦のさなかに、太平洋航路の豪華客船が悠々と長い航海を続けること自体が神話なのである。もし南シナ海のどこかに、命令の行き届いていない潜水艦がいて、異常気象のスコールの中で弥勒丸を軍艦と誤認したら――。

土屋和夫は檻の中の獣のように、室内を歩き回った。

鼓動がおさまらなかった。

（いや、そういう状況の中で、敵は誤爆だったと主張すればいいのではないか。問題は行為の是非ではない。敵が望むものは結果なのだ）

土屋は廊下に出た。高松の部屋の扉を叩く。返事はなかった。

考えはまとまらなくなっていた。少なくともこのまま二十日間がたてば、弥勒丸はその船倉におびただしい黄金の山を抱き、二千人の内地帰還者を乗せて出航する。そしてその運命は――誰も予測しえない。

廊下の先から靴音が響いてきた。灯を落とした闇の中に、憔悴《しょうすい》しきった小笠原の姿が現われた。

「土屋君、ちょっと」

日ごろとはうって変わった力のない声で、小笠原は土屋を手招いた。

「話がある。私の部屋へ来てくれ」

小笠原は乱暴に居室の扉を引き開けると、電灯をともした。

「閉めてくれたまえ」

部屋の中央に仁王立ちに立ったまま、小笠原は吐き捨てるように言った。

「いま、南方軍の情報参謀と会ってきた。旧知の男だ」

「南方軍の？」

シンガポールの第七方面軍は南方軍の指揮下にある。

「ダラットとシンガポールの間を毎日のように行ったり来たり、まったく忙しい。きょうはこちらに泊まりだというから、ようやく捉まえた」

小笠原は興奮を鎮めるように煙草をつけた。

「弥勒丸についての、参謀たちの妙な噂を耳にしていたんだ。帰路の航路を変更するという――」

「何ですか、それは」

土屋は思わず、小声で叫んだ。

「まあ聞け。僕も酔った上での冗談だろうと聞き流していた。しかし気にかかってはいたのでな、南方軍の知り合いに一度訊ねてみたいと思っていた。そこで先ほどようやく、旧知の総軍参謀を捉まえて訊いてみたというわけだ」

煙をせわしく吐きながら、小笠原は執務机のひきだしから地図を取り出して拡げた。

「航路の変更？　一方的に、ですか」

「そうだ。まったく信じられん。いったい軍は何を考えているのだ」

小笠原は拡げられたアジアの地図に、赤鉛筆で航路を引いた。

「いいかね。弥勒丸はシンガポールを出航したあと、どこにも寄港せずに南シナ海を北上し、台湾海峡を通過し、日本海に入って敦賀に戻る。これがおおむねその航路だ。外務省はこの航路上の毎日の正午位置を、米国に対して打電している。もちろん敵は麾下《きか》の全部隊に対して、同様の通達をしているはずだ。ところが——」と、小笠原はいまいましげに、大陸沿岸の一地点を赤鉛筆の先で示した。「弥勒丸はこのあたりから進路を北西にとり、上海に寄港する」

「ばかな……」

「そうだよ。こんな馬鹿げた話はない。敵に沈めてくれと言うようなものだ。合意の航路とはちがうのだから、誤爆だと言われればそれまでだろう。いや、本当に誤爆されるかもしれない。視界が悪ければ、何が起こってもふしぎではなかろう」

室内はひどく蒸し暑かった。噴き出る汗を拭いながら、土屋は訊ねた。

「何のために上海へ？」

「わからん。聞き出そうとしたがしゃべらなかった。おそらく私の顔色が変わっていたのだろう。——むしろ君の方が推測できるのではないかね。なぜ弥勒丸が上海に寄港せねばならないのか」

合理的な解答は思いうかばなかった。上海で何かを積むのか、それとも何かを降ろすのか。

「どうだね」

土屋はきつく目を閉じた。絡《から》み合った思考の糸がほどけない。考えるより先に、冷静さを取り戻さなければならなかった。

「第七方面軍はそのことを知っているのですか？」

「いや、おそらくは知らんだろう。板垣閣下も航路の変更についてはまったくご存じないと思う」

もしそうだとしたら、この計画は大本営と南方総軍だけの最高機密ということになる。むしろ味方に対する謀略と呼ぶべきかもしれない。

「弥勒丸に若い少佐が乗っていたな。覚えているか」

「はい。たしか高級参謀に申告をするとき、大本営参謀と名乗りました」

土屋はひやりとした。戦争を遂行する最高指揮所の参謀が、弥勒丸に乗っていた。良く考えてみれば、それは有りうべからざることだ。

「あれは大本営船舶課の参謀だ。この危急の折に、数少ない参謀の一人が何ヵ月も市ケ谷を留守にすることなど考えられん。あいつはいったい何のために弥勒丸に乗っているのだ」

「小笠原さん……私の部屋に来て下さい。お見せしたいものがあります」

「何だね」

「日銀の、資料が」そう言ったなり、力が脱けてしまった。土屋は突然、まるで天の啓示のようにすべてを理解したのだった。

「これは、大変なことです。私たちの常識では計り知れない規模の問題なんです。たぶん、まちがいはありません。内務官僚に立ち返って、日銀の行員の説明を聞いてもらえますか」

廊下に出たとき、自分は何と遠い所に来てしまったのだろうと、土屋和夫は思った。シンガポールからは内地で画策されていることが何もわからない。ここは日本から快速の船足で二週間もかかる、赤道直下の島なのだ。

土屋老人は酒を飲まなかった。

救世軍では酒が厳に禁じられているのだと言い、食事にすら手をつけずに熱い茶を啜った。

だが、記憶は愕くほど正確だった。

「私はクアラルンプールを立つとき、短期の出向だと思って日銀支店の書類を持参していたのです。やりかけの仕事がたくさんありましたから。で、その中に日本軍政下の各地の金融事情をまとめた資料があったことを思い出したのですよ。上海経済がどんな状況にあるか、私は知っていた」

高松貞彦はワインを飲みながら、一言も口を挟まずに土屋の告白を聞いていた。

「当時の上海経済は危機的状況にありました。それは日本が傀儡《かいらい》としていた汪兆銘《おうちょうめい》政権の崩壊を意味します。もちろん、日本の中国経営の破綻ということです。わかりますかな——戦の勝ち負けではない。戦をすることの根拠が失われてしまうのですよ。あの戦はもともとが、そこから始まったものでしたからね」

半世紀の間、土屋老人はそのことをかたときも忘れてはいなかったのだろう。

「あの、土屋さん。メモを取らせていただいてもよろしいですか」

久光律子は訊ねた。土屋は少し考えるふうをしてから、「かまいませんでしょう」と言った。

「日本は汪兆銘政権下の中国経営のために、中央儲《ちょ》備《び》銀行を設立しました。そこには日銀からも、多くの行員が出向していたのです。だから情報は、各地の日銀支店に正確に伝わっていた。そう、昭和二十年の正月の時点で、中央儲備銀行の手持ち資金は底をついてしまっていたのです。わずか四十五億元まで落ち込んでいた。今のお金に換算していくらになるのかは知りませんが、これに対し一日の窓口支払いは八億元にも達していた。そりゃそうですよ、日本の旗色が悪くなれば、預金者は金を引き出しにくる。手持ち金がなくなれば、銀行は閉鎖せざるをえません。中央儲備銀行が倒れれば、汪兆銘はおしまい、日本の中国経営もそれでおわりです。その最悪の事態を回避する方法はただひとつ、大量の金塊を上海に搬入して、市場に放出するほかはなかった。私は道化だったのですね。本土決戦の軍費だと信じて、シンガポールの華僑やインド人の富豪や、マレー人の農園経営者から金を集めた。実は中国経営の破綻を阻止するための黄金だとも知らずに」

弥勒丸の使命とはそういうものだった。

律子は手帳を閉じた。メモを取るほどの難しい話は何もなかったからだ。

ひとつの銀行を維持するために集められた黄金を、安全に、一日も早く輸送する手段は、安導券を持った弥勒丸しかなかった。当然、外務省が規定し、国際赤十字を通じて連合国に打電された航路はいちかばちかの変更をするほかはなかった。

そしておそらくその極秘の計画を、トルーマンもニミッツも知っていたのだ。

「ちょっといいかな、先生」と、日比野義政が口を挟んだ。

「小難《こむずか》しい経済学のことは、あとから相棒に説明してもらうけど――金塊を上海に輸送するにしても、方法は他に考えられなかったのかな」

久光律子にとっても、それは素朴な疑問だった。空輸、陸上輸送――潜水艦という手もあるだろう。現実に高松貞彦は同じ時期に台湾から飛行機でシンガポールに着いているではないか。

「それは、私から話そう」

黙りこくっていた高松が口を開いた。目が合うと、日比野は自衛官に立ち戻ったように背筋を伸ばした。

「安全な輸送手段については、たしか土屋さんとも話し合った記憶がある。のちには小笠原さんや他の特務機関のメンバーとも協議した。だがね、いかんせんあの時点では、制空権も制海権もほとんどアメリカに握られてしまっていたんだ。私が台湾から一式陸攻機で着任したときも、なかばは死を覚悟していたほどだし、大量の物資を空輸することなどはとうてい及びもつかぬ状況だった」

「潜水艦や駆逐艦での輸送は？」

日比野はまっすぐに高松を見つめながら訊ねた。一瞬、高松の頬がゆるんだ。

「そう言えば、あなたは自衛隊出身でしたね」

「はい。海のことは何もわかりませんが」

精悍《せいかん》な軍人の顔になっている日比野を頼もしげに見て、高松はひとつ肯いた。

「何だか、あなたがたはあのころの私と土屋さんのようだな。ねえ、少佐」

土屋和夫は小さな体の首だけを起こして、軽部と日比野を見、口元をわずかにほころばせて言った。

「そういう輸送の方法はどうなんだと、僕は高松さんにしつこく訊ねた。できぬはずはなかろうと、食ってかかったんだよ」

「どうなのですか」

軽部が回答を促した。すると高松貞彦はまるで五十年前のラッフルズ・ホテルの一室でそうしたように、きっぱりと答えた。

「潜水艦では積載量が決定的に足りないうえに、速力が遅い。つまり上海経済の緊急事態にはまったく対応できない。そして、物資を満載して船足の鈍った駆逐艦が、敵の潜水艦のえじきにならずに上海までたどり着くことも考えられなかったのです。常識的に」

「陸上での輸送は、どうなんですか。鉄道とか、自動車とか」

と、久光律子は身を乗り出して言った。まるで特務機関の一員になったような気持ちだった。今のうちに他の輸送手段を考えれば、弥勒丸は沈まずにすむような気がした。

「陸路では上海どころかタイのバンコックまで行くことも至難だった。マレー鉄道は空爆目標だったし、各所で橋も落とされていたのです。バンコックの第十八方面軍との間では、通信さえ途絶えがちだった」

弥勒丸が運命の航海に旅立たねばならなくなった経緯を聞くうちに、久光律子はいたたまれぬ気分になった。

持ち前の好奇心などはとっくにどこかへ消えてしまっていた。淡々と事実を語る高松の声がおぞましく感じられ、怒りをこらえるうちに胸が悪くなった。

中座をして廊下に駆け出した。洗面所で、はげかけた化粧をざぶざぶと洗い落とした。

息をつぎながら顔を上げると、鏡の中に疲れ果てた中年女の姿があった。

——あなたは、誰？

鏡に向かって、律子は自問した。

（誰なのよ。ここで、何をしているのよ）

怒りと緊張とで、貧血を起こしたのだろう。洗面台に顔を伏せてじっとしていると、脂汗が全身から噴き出てきた。

どのくらいそうしていたのだろうか。軽部の声で律子は我に返った。

「リッちゃん。大丈夫か?」

「平気よ。ちょっと疲れただけ」

身づくろいをして洗面所から出ると、やはり疲れ切った顔の軽部が立っていた。

「心配してくれるの? 私のこと」

廊下の長椅子に腰を下ろして、軽部を見上げた。

うつろな視野の中に、クリーム色の壁を背にしてかつての恋人が立っている。十五年前、ぼろ屑のように自分を捨てた男。そして十五年間、恋い焦がれてきた男。

やはり軽部順一は自分の恋人なのだと律子は思った。洗面台にすがりついている間じゅう、軽部が来て肩を抱いてくれないかと願っていた。

煙草をつけて、軽部は律子のかたわらに腰を下ろした。

「心配だよ。君のことは、いつも心配だった」

「ありがとう。リップ・サービスでも、ありがとうって言っておくわ」

素直になれない。軽部がずっと気にかけてくれていたのは本当だと思う。「ありがとう」の一言で声を止めることが、どうしてできないのだろう。

「ねえ順ちゃん――」言葉が咽にからみついて、律子は咳払いをした。

「私、彼女が他人とは思えない」

「彼女、って？」

軽部の横顔が歪んだ。別れた女房のことを言っていると、誤解したにちがいない。

「そうじゃないわ。弥勒丸のことよ。私、どうしても彼女が船だとは思えないの」

「どういうことかな」

横顔が少し弛《ゆる》んだ。

「あなたと別れてから、私、ずっと流されていた。自分の意志なんて、何もなかった。あったのは、幸福な時代の記憶だけよ」

乱れた髪の間に両手の指をさし入れて、律子は考えた。

自分はいったい、何をしているのだろう。新聞社を辞め、ジャーナリストとしての輝かしい未来も捨てて、いったい何をしようとしているのだろう。

危険な状況にある軽部順一の栖になろうとしているのだろうか。あるいはこの機会に、夢に見続けてきた軽部との愛の暮らしを手に入れようとしているのだろうか。

少なくとも、それらは自分らしくないことだと律子は思った。

「つらいのなら、おりればいい」

と、軽部順一は肩を並べて言った。律子は髪の根を握ったまま、顎《あご》を振った。

「今なら新聞社にも戻れるだろう。君を失うことは職場にとっても痛手だろうから」

そうではない。一方的な辞表を出してしまったことを、今さら悔やみはしない。辞めた事実ではなく、辞めた理由を自分は探しあぐねているのだ。

「つらいのには慣れてるわ。仕事はずっとつらかったから」

「じゃあなぜ苦しむんだ」

その理由は、私よりあなたの方が知っているでしょう、と言いかけて律子は口をつぐんだ。

自分をぼろ屑のように捨てたこの男を、かたときも忘れたことはない。毎夜夢に見た。街に出れば良く似た後ろ姿を探した。何人もの男とめぐり遭うたびに、これが新しい恋人なのだと言い聞かせねばならなかった。そして誰からも、冷たい女だと言われた。

「なあ、リッちゃん――」

軽部は言いかけて言葉を選んだ。

「何よ。はっきり言って。私が迷惑なら、はっきりそう言ってよ。重たいんでしょう。私がつきまとっているのが、いやなんでしょう」

「そうじゃないよ」軽部は煙草を消して、真白な吐息をついた。

「これだけは承知しておいて欲しい。みんな、君と同じなんだ」

「みんな、って？」

「俺も、日比野も、高松さんも土屋さんも、小笠原会長も。いや、同じ時代を背負ってきた山岸の親分も篠田郁磨も、みんな君と同じ気持ちだと思う」

律子は素直に肯いた。多摩川の川原で、じっと夕日に染まっていた中島吾市の姿が思いうかんだ。みんなが、忘れようにも忘れられぬ時間を背負っている。

「みんなの話を聞いているうちに、俺は宋英明という人間のことも、何となくわかってきた。きっとあいつも、同じだと思う」

忘れられるわけはないのだ。いっときの幸福で忘れることができたとしても、それは決して時間を回復したことにはならない。自分は十五年間、この人を愛し続けてきたのだから。

「ねえ順ちゃん――」

律子は顔を上げた。絵も花もないホテルの廊下の壁をじっと見据えたまま、律子は迷いもせずに言った。

「一度しか言わない。答えなくていいから、聞いて下さい」

「なんなりと」

軽く受けこたえながら、軽部は明らかに身構えた。律子はきっぱりと言った。

「私、あなたのことを今でも愛してるわ。心から」

軽部の肩が揺れた。しばらくの間、軽部は床に目を伏せたまま動かなかった。

「みんなとちがうところはね、私は過去を背負っているわけじゃない。今でも、昔と同じくらいあなたを愛しているの。何も変わってないの」

律子は俯いた軽部の横顔を窺った。いったい何を悩んでいるのだろう。責めを受けているのだろうか。いや、実は自分も同じ気持ちでいたのだと、言いたいのかもしれない。もしそうならば——やはり嬉しい。

「悩まなくていいわ。少なくともあなたは幸福な家庭を営んできた。その間は、たぶん何も考えなかったはずよ。これは私の、ごく個人的な問題なの。だから答えはいらない」

律子は席を立った。

老人たちの話を聞こう。それは弥勒丸を引き揚げるために、必ずしも不可欠なものではない。しかし、そのすべてを知らねばならない。

老人たちの待つ扉は遠かった。一歩ごとに膝が慄え、悪夢の中のように足が前へと進まなかった。

(聞くのよ。すべてを、聞くのよ)

弥勒丸は沈んだ。嵐の台湾海峡に、二千人の命とおびただしい金塊を積んだまま沈んだ。

真暗な心の海底に横たわる弥勒丸を、この手で引きずり上げてやる。今度こそ、何としてでも。

託された黄金

赤道直下の日射しが甲板を灼《や》いている。

スマトラ東方、バンカ島の小さな港町であるムントクを出港すると、弥勒丸は緑色に濁った南シナ海を再びシンガポールに向けて進んだ。

航海速力十八ノット。船足はすこぶる速いが、デンマーク製B＆W社ディーゼル機関は、客室にまったく振動を伝えない。

「どうです、中尉さん！　すごいエンジンでしょう。宇品《うじな》を出てから四年の間、俺の手をわずらわせたことなんて、ただのいっぺんだってありゃしない。こんな出来のいい娘は、まず世界中に二人とはいない！」

轟音《ごうおん》を上げて回転し続ける機関に目を細めながら、老いた機関長は大声で正木に言った。

ときおり機関室を覗くたびに、彼はいつも同じことを言う。

「機関長は初めからこの船に乗っているのですか！」

正木は叫び返した。油にまみれた機関長の顔は父親を思い出させた。

「勤続三十五年の職人さ！　十五で帝国郵船に入社して以来、ずっと貨物船や客船の腹具合をうかがっているんだ」

「弥勒丸は何隻目ですか」

「さあ――」

機関長は真黒な指を折った。

「十隻まではわかるが、あとは数えられんね。ともかくこの弥勒丸を下りたら、お役御免だろう。最後にこんなべっぴんさんに付き合わせてもらえて、船乗り冥利《みょうり》に尽きるってもんだよ」

船底の通路を挟んで左右二基の機関が並んでいる。弥勒丸はエンジンまでもが美人だった。通称「B＆W」と呼ばれるデンマーク製バーマイスター・アンド・ウェイン社のエンジンは、高出力を出すわりには愕くほど小さくまとまっている。

正木中尉と機関長は通風筒の下に立ってうなじに風を入れながら、エンジンの躍動を眺めた。

「三十五年、ですか。すると、機関長は森田船長より先輩にあたられる？」

老機関長は得意げに笑い返した。

「齢は同じようなものだけど、森田さんは商船学校の出身だからな。その点、俺は機関室からの叩き上げさ。初めて乗った船は蒸気タービンで、機関室は地獄だったよ。そりゃそうだ、高圧蒸気を吹きつけてエンジンを回してたんだから。それからレシプロに変わって、昭和の初めごろにディーゼル機関が登場した。音は少々うるさいが、機関室は快適だ。まあ、ちょいとおしゃべりだが、美人で性格が良くて、そのうえ健康とくりゃあ、今までの嫁さんの中じゃピカイチだね」

言いながら機関長は、恋人を愛おしむように白ペンキを塗ったパイプの埃《ほこり》を拭った。

これほど清潔な機関室は見たことがなかった。

機関長は整然と動き続けるエンジンに目を細める。

「海軍士官には釈迦《しゃか》に説法かもしらねえけど――」

「いや、自分は機関のことはわかりません」

「そうかね。ならちょいと教えとこうか。――なにせディーゼルっていうのは、燃料を食わない。カマを温める必要もないから、出港の準備にも時間がかからない。前進後退の切替えも、発進停止も簡単にできるのさ。つまりだな、運動性能っていうのがちがう。もっとも軍艦のエンジンも今じゃみんなディーゼルだろうけど」

純白のペンキを塗られた機関室には、油汚れすら見当たらなかった。その几帳面な清潔さはいかにも、豪華な内装を施された太平洋航路のパッセンジャー・シップにふさわしい。

「三菱や石川島の技術がどの程度かは知らんがね、まだまだこいつのまねは――おい、聞いてるのかい、中尉さん」

機関長に顔を覗きこまれて、正木は我に返った。

「疲れてるみたいだな。そう根《こん》を詰めなさんなよ」

「いや、ちょっと見とれてしまいました。この船はどこもかしこも美人だから」

機関長は満足げに声をたてて笑った。

「頼むぜ、中尉さん。敵の潜水艦や飛行機がうろうろしているようだが、こいつに万が一のことがあったら、俺はここに体を縛りつけて往生するんだからな」

冗談には聞こえなかった。機関長ばかりではあるまい。もし仮にそんなことが起これば、退船命令に従う乗組員はひとりもいないのではないかと正木は思った。

誰もが弥勒丸を愛している。恋い焦がれるほどの愛情である。そしてそれは海軍の軍人のような、武骨な感情ではなかった。彼らにとっての航海は任務というよりも、弥勒丸とともに過ごす美しい時間だった。

「頼むよ、中尉さん！」

階段の下から呼びかける機関長の声は、切実な感じがした。たぶん笑ってはいないのだろう。

乗組員たちひとりひとりの弥勒丸に対する愛情が、得体の知れぬ重圧になっていることを正木は知った。宇品でこの船に乗り組んだときに感じた、のっぴきならぬ圧迫感はたぶんそれだ。

唯一の海軍士官として、自分は彼らが心から愛する弥勒丸を守らねばならない。どのような危険な使命があろうと、弥勒丸を沈めてはならない。

甲板には赤道直下の陽射しがはぜ返っていた。

若い甲板員たちが藁束《わらたば》を握って一列に並び、甲板を磨いている。

弥勒丸の船倉はからっぽになっていた。南洋の各地に俘虜のための赤十字物資を下ろし、明日の午後には再びシンガポールに入港する。そこで彼女は、復路の荷を船倉いっぱいに積むのだ。

Aデッキの一等喫煙室に人影があった。

ガラス越しに覗く。堀少佐と森田船長が、金華山《きんかざん》織《おり》の椅子に身を乗り出して向き合っていた。

言い争う声が洩れていた。

「よろしいですか」

正木が扉を開けて言うと、森田船長は顔を上げ、堀少佐はぎょっと振り返った。

「ちょうどいい。今、貴官を呼ぼうとしていたところだ」

堀少佐の表情は剣呑《けんのん》だった。

「なにか」

「六番船倉に積載する物資の件を、船長に伝えた――」

森田船長は憤っている。温和な表情は消え、顔色は青ざめていた。

「まあおかけ下さい、中尉」

正木が椅子に腰を下ろすと、森田船長は敵意を含んだ強い視線でねめつけた。

「中尉もご存じだったのですか。私は何も聞いてはおりません。いま少佐殿から突然にうかがって、仰天したところです」

興奮を鎮めるように、船長はパイプに火を入れた。

「詳しい話は自分も知らされてはおりません。堀少佐もそれは同じです」

正木が穏やかにそう言ったとたん、森田船長はふいに、拳で卓を叩いた。

「運航指揮官も海軍士官も知らないとはどういうことだ。そんないいかげんなことがあってたまるか。いくら戦だからとはいえ、誰も任務の詳細を知らされていないなどと。あなた方はこの船を、いったい何だと思っておるのですか」

怒りは正当だと正木は思った。もちろん長い航海で乗組員の気持ちを知っている堀少佐もそれは同じだろう。彼には一個小隊の部下もいる。

「この船の有難味は、自分もよくわかっているが」

と、堀少佐は力のない声で言い返した。

「有難味、ですと？　そういうことは軽々しく口にせんで欲しいものですな。一ヵ月や二ヵ月の航海で、弥勒丸を理解したような言い方はやめていただきたい。もういちど、お二方が揃ったところではっきり言っておきます」

船長は倅のような堀と正木の顔を、脅すように睨みつけながら言った。

「百歩譲って、復路の物資をシンガポールで積むことは了承しましょう。しかし、航路の変更は断じて許さん。外務省を通じて敵に打電した規定の航路を一方的に外れることが、どれほど危険であるか、よくお考え下さい」

堀少佐は船長を睨み返した。

「あなたが許す許さんということではない。この船は陸軍の徴用船だ」

「いや、それはちがう。帝国郵船が軍に貸与したのです。船長は私だ。私には弥勒丸を安全に運航する義務がある」

がらんとした一等喫煙室の空気は張りつめていた。

後甲板に面したステンド・グラスから、赤や青の光が幻のように射し入っている。海外航路の一等船客のために用意された豪華な談話室だった。シャンデリアがはずされ、被いのついた艦内灯が吊り下がっているほかには、就航時とどこも変わりはない。

森田船長はパイプをくゆらせるうちに、落ち着きを取り戻したようだった。

「ねえ、堀少佐」と、船長は足を組み、ようやく表情を弛めて語りかけた。

「肚を割って話してはもらえませんか。私はそのつもりで、一等航海士に席をはずさせたんですよ」

正木中尉は少佐に目配せを送った。船長の言う通り、ここは胸襟《きょうきん》を開いて話し合うべきだと思った。森田船長には現実を受け容れるだけの器の広さがある。

一等航海士の笠原は一本気な性格で、あからさまに堀少佐を非難する。航路についての問題なら一等航海士を同席させぬわけにはいくまいが、船長は無益な言い争いを避けたかったのだろう。

「堀少佐がきちんと納得のいく説明をして下さるのなら、笠原君は私が説得します。文句は言わせません」

「一等航海士は何を言っても承服せんだろう。どうも俺とは相性が悪いようだ」

正木は口を挟んだ。陸軍将校の典型であるこの頑なな不器用さは、どうとも歯痒《はがゆ》い。

「相性が悪いということではないでしょう。運航指揮官が軍人で、航海の担当者が民間なのですから、よほど理解し合わなければ意見は一致しません」

「まあ、それはそうだがな——」堀少佐は森田船長の微笑に応えるように、溜息をついた。しきりに坊主頭を撫で、言葉を探すふうをする。

「船長、俺は嘘は言っていない」

「わかります。だが船の中では、秘密を持つことも嘘のうちですよ」

船長は微笑を深めた。引きこまれるように堀少佐は言った。

「言葉が足らなかったのかもしれんが、船長に隠していることはない。外務省が国際赤十字を通じて打電した規定の航路を、台湾沖で変更して上海に向かうというのは、軍の命令だ。俺は軍人だから、その命令には従わねばならん」

「ですからね——」と、船長は憤りを自らなだめるような咳《しわぶ》きをした。

「ですから、いかに軍の命令であっても、それは危険すぎるでしょう。ねえ、正木中尉。あなたは一等航海士や私以上のご専門だ。どう思われます」

堀少佐の表情に、正木を威圧する様子はなかった。おそらく彼も、冷静な意見を求めている。正木ははっきりと答えた。

「きわめて、危険です」

航路変更の危険性についてはずっと考え続けていた。

「台湾海峡は日本の咽元にあたります。したがって現在は敵潜水艦の巣窟《そうくつ》であると言っても過言ではありません。往路で通過するとき、視認した潜望鏡が十三回、艦影を認めたものが四回です。もちろん追尾していた艦もいるでしょうから、延べの数ではありますが」

「味方の駆逐艦が護衛するのではないか」

と、堀少佐が訊ねた。当然考えられることだが、だとすると作戦はあからさまになる。

「難しいところだと思います。たしかに潜水艦の天敵は駆逐艦ですが、安導券を持った弥勒丸を護衛する理由はない。むしろ敵潜水艦は護衛の駆逐艦を攻撃しますから、故意にしろ誤爆にしろ、弥勒丸の危険は高まります。そのあたりをどう判断するか」

駆逐艦を護衛につければ、敵に「誤爆」の機会を与えることになりはすまいか。

「おっしゃる通りだね。近接していなければ護衛の意味はない。戦闘中に駆逐艦の回避した魚雷が弥勒丸に命中しても、何らふしぎはない」

船長はパイプを額に当てた。

「もうひとつ考えられることは、航空機の掩護《えんご》でしょうか」と、正木中尉は長いこと考えた末の可能性を口にした。

「航路変更をしたあたりから、台湾の航空隊が掩護をする。危険度はこの方がずっと低い。ただし――天候に恵まれていれば、の話です」

荒天で視界が悪ければ、飛行機は掩護の役を果たせない。だがその分、護衛がなくとも敵潜水艦の目をかすめて航行することができる。

「それだな」と、堀少佐は呟いた。

「まさかこの船だけで勝手にやれということはなかろう。何がしかの準備があるからこそ、俺にも詳しい作戦内容は知らせぬのだと思う。台湾航空隊の掩護、か」

森田船長は少し考えてから肯いた。

「なるほどね。晴天であれば対潜攻撃の準備をして飛行機がくる。荒天であれば、弥勒丸の装備に物を言わせて、上海までつっ走るわけですか。どうやらこの船が選ばれた理由はそれですな。弥勒丸は安全航行のために、軍艦なみの測距儀と電探《でんたん》を持っている。荒天下ではこれほど頼れる船はありません。しかし――」と、森田船長は微笑を吹き消して、二人の軍人を睨みつけた。口髭が怒りに慄えていた。

「問題はそんなことではない。何のために弥勒丸は、規定の航路を変更し、危険を冒して上海に行かねばならないのか。私はこの船の船長として、その理由を知らねばならない」

それは堀少佐が口に出していない、唯一の秘密である。

「お答え下さい、堀少佐」森田船長の視線には、強い意志が感じられた。

「あなたが何も知らぬはずはない。ただ命令を実行するだけの運航指揮官ならば、大本営船舶課の参謀でなくとも用は足りるはずです」

堀少佐は明らかに答に窮していた。船長は追い討つように言った。

「くどいようですが、船の中では秘密も嘘のうちです。われわれは一蓮托生なのですから。あなたが私に対して嘘をつき続けるのなら、私はただちに弥勒丸を停止させます」

「ばかな。それでは抗命だぞ」

「かまいません。私の指示には乗員全員が従う。私が機関停止を命ずれば、船はてこでも動かない」

知る限りのことすべてを話すべきだと正木は思った。

「少佐。上海に向かう理由はわからなくとも、積荷の中身は――」

「黙れ！」

と、堀少佐は正木を叱咤《しった》した。

船長は身を乗り出した。

「シンガポールで、何かを積むのではないかということは当然予測しておりましたが——で、何を積むのですか」

少佐は船長の顔に目を据えて、ぶ厚い唇だけで言った。

「弾薬だ」

正木はひやりとした。堀少佐は嘘をついた。

「南方軍の余剰弾薬を上海に運ぶ」

はたして森田船長は、ふしぎそうに首をかしげた。

「わかりませんな。余剰弾薬ならば、危険を冒して上海に運ぶより、決戦態勢の内地に送るべきでしょう」

「そこまでは俺も知らんよ。おそらく内地以上に、弾薬が不足しておるのだろう」

しばらく疑わしげに少佐の表情を見つめてから、船長は「わかりました」と言った。

「失礼します、中島司厨員、入ります」

ベーカーの中島吾市が一等喫煙室の扉を開けた。

「やあ、何だね」

と、船長は笑顔をつくろった。

「パンが焼き上がりましたので、お茶菓子に」

中島は麦缶《ばっかん》の蓋《ふた》を開けると、香ばしいパンを皿ごと卓の上に置いた。

「おや、クロワッサンかね。これは珍しい」

船長は言うが早いか手を伸ばした。

「何ですか、これは」

正木は見たこともない形のパンをつまんだ。

「どうぞ。堀少佐殿も、おひとついかがですか。中島君は横浜のホテル・ニューグランドから引き抜いたベーカーでしてね。太平洋航路にふさわしい腕前です」

熱いクロワッサンを口に含んだとたん、堀少佐は初めて笑顔を見せた。

ラッフルズ・ホテルの受付所には早朝から長い行列ができていた。

広いロビーを貫き、正面の回転扉を挟んで、帰国希望者は陽光のはぜ返る前庭に続いている。

「おおむね五百名です。最後尾はビーチ・ロードの都ホテルのあたりですが」

下士官の報告を聞いて、土屋和夫は即座に命じた。

「玄関から先の列を中庭に誘導しろ。それでも入りきらなければ廊下に並ばせてもかまわん」

市内を東西に走るビーチ・ロードは一日じゅう陽にさらされる。そんな場所に何時間も立たされたのでは、ひとたまりもあるまい。

やがて乗船志願者の行列は、軍司令部の将校たちが行き来するロビーに、ぞろぞろと入ってきた。

文句をつけられる前に、土屋は大声で叫んだ。

「ホテルは軍司令部が接収中です。私語は慎み、整斉《せいせい》と順番を待つように。とくにお子さんは、列を乱したり走り回ったりせぬよう、十分にお気をつけ下さい」

土屋は軍人らしからぬ自分の物言いを恥じなかった。むしろ聞こえよがしの民間人の声で、そう言った。

「土屋少佐。そろそろ時間ですが」

高松少尉候補生が時計を見ながら言った。

ロビーの隅に衝立を置いて、受付所が作られている。担当の下士官が三人、帳簿を広げて土屋の命令を待っていた。

「あまり細かい点まで追及しなくてよろしい。本人かどうかだけを確認せよ。四歳以上は大人と同じ扱い、三歳以下は員数外《いんずうがい》としてよろしい。手荷物はひとり二個まで。その他特別の事情のある者については、各個に自分か高松候補生に相談させること。かかれ」

事前の申し合わせをもういちど確認して、土屋は受付事務の開始を命じた。長蛇の列が動き始めた。

「ともかく、今やらねばならぬ仕事を片付けよう。いろいろ考えていたらきりがない」

高松を励ますと同時に、土屋は自分自身に言いきかせた。

乗船券の交付は、申込者ひとりについて一枚と定められている。列には幼子《おさなご》や老人の姿が目立った。

「この人たちは、弥勒丸に乗るのですね……」

ぽつりと高松貞彦が呟いた。

「考えるな」

冷たい言い方だが、それしかない。目の前を半歩ずつ、ゆっくりと進んで行く市民たちの姿がまばゆかった。

「考えても仕方がない。ともかく、一般志願者千人の乗船名簿を作る。われわれが今やらねばならぬことは、それだ」

一夜を懊悩《おうのう》したのち、土屋の不安は確信に近くなっていた。弥勒丸は甲板に溢れ返るほどの非戦闘員を乗せる。敵の潜水艦からも、飛行機からもはっきり視認できるほどの。

彼らは人間の楯なのだ。

乗船志願者の行列はラッフルズのロビーを横切り、中庭に続いている。

人ごみの中に純白の看護服を見つけて、土屋はひやりとした。

百合子だ——。

長靴《ちょうか》の底から虫のはい上がるように、土屋は総毛立った。島崎百合子と、ソフィアの丘の混血児たちのことを忘れていた。

「お知り合いですか」

高松が土屋の視線を追いながら訊ねた。

「ああ……」

詳しい説明をする余裕はない。混乱した頭の中で、百合子と彼女の子らをどうするべきなのかと、土屋は悩んだ。

目が合った。百合子は赤十字の印の入った看護帽に指を添えて、軽く敬礼をし、それからにっこりと笑いかけた。土屋は敬礼を返すかわりに、百合子を手招いた。

百合子は年長の子供の手を引いて歩み寄ってきた。

ロシア人の少女だ。中庭の人ごみをかき分け、百合子は微笑みながら近寄ってくる。運命という代物《しろもの》が、一歩ずつ、笑いかけながら自分に向かって歩いてくる。

「ご気分でも悪いのですか、少佐」

高松が顔色を覗きこんで訊ねた。たぶん自分は、青ざめているのだろう。

「いや、べつに——」

百合子は土屋の前に立つと、背筋を伸ばしてもういちど敬礼をした。ロシア人の少女はきのうとはうって変わった身ぎれいななりをしていた。表情も明るい。

「だいぶ打ちとけたようだね」

「はい。通訳の村山君も、とてもよくやってくれています」

海軍の事業服を着た通訳の少年が、後から走ってきた。

「ちょっと君に話があるんだが」と、土屋は百合子を柱の蔭に誘った。いったい何をどう話せば良いのだろう。

「列に並ぶ必要はない。許可がおりれば、こちらで別枠を用意する」

百合子は大きな目をしばたたいて土屋を見た。

「許可がおりればって――でも、受付は先着順だっていうから。それの方が確実だろうと思って」

「いや。混血児は受付の対象にならない」

そんな決まりはなかった。保護者が同伴すれば、子供らはむしろ優先させると、軍司令部からの通達がある。百合子は憮然とした。

「それは話がちがいます。許可がおりなければ子供たちは乗船できないんですか。納得できないわ。きょうはそのために、子供らを親元に返しました。みんな親と一緒に来ています。親のいない子供は、私が引率するつもりです」

土屋は説明に苦慮した。百合子の怒りは正当である。思い余って、土屋は人が振り返るほどの大声を上げた。

「これは日本船籍の船だ。日本人を乗せるための船だ。帰れ！」

あたりは一瞬しんと静まったが、群衆の間からじきに怨嗟《えんさ》のどよめきが起こった。

シンガポールは伝統ある国際都市だった。明治以来、すべての市民たちが世界協和を夢み、温かく育《はぐく》んできた理想郷に、自分は唾《つば》を吐いているのだと土屋は思った。

「八千人の在留邦人の全員を乗船させるわけにはいかない。混血児と家族は列外に出よ。きさま！　そこのおまえもだ！」

土屋は肌の色のちがう子供らを指揮しながら叫び続けた。

「出ろ！　弥勒丸は日本の船だ！」

日本人の母親の腰に顔をうずめる少女を、土屋は列の中から引きずり出した。清らかな、青い瞳と出会ったとき、そのまま軍服の胸に抱きしめたい衝動にかられた。

この子らだけは殺してはならない。

「船に乗ってはならない。列から出よ」

何組かの家族が列から離れた。四方から浴びせかけられる恨みがましい視線に土屋は耐えた。行き交う軍人たちまでもが、立ち止まって土屋を睨みつけていた。

「和ちゃん……」百合子が力なく呼んだ。

「どういうことなのか、説明して下さい。そうでないと、私――」

説明することなどできるわけはない。もどかしさがきつい言葉になった。

「ここまで苦労してきた甲斐《かい》がないとでも言うつもりか。勝手なことばかり言うな」

弥勒丸が戻るまでに、百合子の誤解をとくことができるだろうか。だが、さしあたって自分がしなければならないことは、それではない。百合子とソフィアの丘の子供らを、殺さぬことだ。

「だって、話がちがうもの」

「帰ってくれ」

頼む、百合ちゃん、と土屋は目で言った。

確証はない、納得させるだけの説明もできないだろう。だが乗船者名簿に名前を記載してしまえば、君と子供らの運命は俺の手から離れてしまう。二千人の乗船者に混じって、君たちの命は軍司令部の輸送担当者の手にゆだねられ、そして弥勒丸の乗組員に預けられてしまう。

「ともかく、帰ってくれ」

百合子は何を考えたのだろう。強い目で土屋を睨み返すと、踵《きびす》を返してロシア人少女の手を引いた。通訳の少年は土屋にきちんと敬礼をして後を追って行った。

「どういうことですか、少佐」

と、高松候補生が声をかけた。

「ちょっとな。話せば長くなるが、ともかくあの看護婦を乗船させたくはないんだ。混血の子供たちも」

「やることが多すぎますね」と、高松は志願者の行列を見ながら溜息をついた。

「軍司令部から矢継ぎ早に伝令が来ています。まるで特務機関に、余分なことを考えるなとでも言うようです」

命令書の束を、高松は土屋に手渡した。

――いったい何が起こったのだろう。

ホテルの玄関を出ると、村山留次は百合子の後を追った。

「島崎さん」

百合子に手を引かれながら、ターニャだけが振り向いた。

きのう、港から救世軍の施設に向かう車の中での、島崎看護婦と土屋少佐の様子が胸にうかんだ。二人は許婚《いいなずけ》なのだと、中国人の阿媽《アマ》から聞いた。

まるで一晩のうちに、土屋は心変わりしてしまったかのようだった。表情も別人のように硬く、いかにも冷酷非情な陸軍将校の顔になっていた。

乗船志願者は続々とラッフルズの車寄せに吸いこまれて行く。人の流れに逆行して、島崎百合子は歩く。白衣の肩が怒りに慄えていた。

それにしても、少佐の態度は尋常ではなかった。乗船志願者が思いのほか多かったのだろう。しかし、だからと言って許婚との約束をあんなふうに反古《ほご》にすることはあるまい、と思う。言いようは他にもあるはずだ。

留次は百合子に追いすがった。

「少佐殿は、あんまり志願者が多いので取り乱していたんですよ。きっとあとから説明をして、名簿には加えてくれます。軍司令部の人たちの手前とか、あったんじゃないですか」

ミドル・ロードを北に向かって早足で歩きながら、百合子は答えた。

「私が、でしゃばりすぎたのかしら。でも、申し込みだけはしておかなければならないと思ったし……」

そうではないと思う。土屋少佐の態度は豹変していた。

「ゆうべ軍司令部が決めたんじゃないですか。説明にくる間がなくて、それで少佐殿はあんなふうに」

「でも、様子がおかしかった。あの人は、あんな言い方のできる人じゃないもの」

戦などどこ吹く風の日本人街では、商店が開き始めていた。爆撃の痕はどこにも見当たらない。

ふと留次は、この平和な町の住民たちがなぜ内地に帰ろうとするのだろうと考えた。空襲の有様や食料事情を知らないのだろうか。もしかしたら、本土決戦とか一億玉砕が叫ばれていることも知らずに、内地がより平和で安全な場所だと思いこんでいるのではなかろうか。マニラが陥落して、次の決戦場は昭南なのだと、船内の噂にも聞いた。だがこうして平和な日本人街を歩いていると、やはりその噂は信じ難い。自分ですら、内地にいたときよりもずっと安心感がある。ここにいる限り大丈夫だという気がする。

「私、日本人会に寄って行くわ。交渉してみます。もうあの人は頼らない。ターニャを、お願いね」

百合子は五叉路の角に建つ立派な日本人会に向かって歩き出した。日本人街のはずれの五叉路を北に登ると、ソフィアの丘は近い。

百合子と別れたとたん、ターニャは迷い子のように怯え始めた。軍人とすれちがうたびに留次の腕を摑み、身をかわそうとする。そんなときのターニャの表情は、恐怖とともに敵意を含んでいた。

兄を殺された恨みは根深いのだろう。

「クーダー・ヴゥイ・イジョーチェ？」

どこへ行くの、とターニャは訊ねた。それは、けさ施設を出てからの口癖だ。自分がこのさきどうなるのか、不安でたまらないのだろう。しかし、いちいち説明するだけの語学力を、留次は持っていない。簡単な言葉で励まし、微笑みかけることしか留次にはできなかった。

椰子の葉蔭を選んで坂道を登り、ソフィアの丘の救世軍本部にたどりつくと、教会の前にマレー人の牧師と、麻の背広を着た白人が立ち話をしていた。

「おや、シスター・ユリは?」

と、マレー人の牧師は流暢な日本語で訊ねた。

「日本人会に寄っています」

「あなたは?」

留次は問われるままに自己紹介をし、ターニャの通訳を命じられている、と言った。

「きのう、シスター・ユリから相談されまして——こちらは白系ロシア人のアルトゥホフさん。ジョホール・バールからただいま着きました」

「こんにちは」

と、ロシア人はパナマ帽を取って、日本語の挨拶をした。

「日本語、上手なんですね」

「アルトゥホフはだめです。こんにちは、とさよならだけ。私は戦前からずっと、日本人の信者と付き合っていますから。ここは日本人街に近いでしょう?」

アルトゥホフは四十歳ほどであろうか。怖いくらいに背が高く、真赤な鼻の下に白毛まじりの髭をたくわえている。

「カーク・ヴァーシア……」

お名前は、とアルトゥホフは腰をかがめて訊ねた。ターニャは喜ぶというより、びっくりした様子で留次の腕を放さない。

「主のご加護ですね。アルトゥホフはクアラルンプールに住んでいるのですが、きのうたまたま用事でジョホール・バールまできていたのです。事情を話したら、飛んできてくれました」

留次の体から力が脱けた。クアラルンプールに住む亡命ロシア人が、ターニャを引き取りにやってきた。

「ありがとうございます。もうこれで、大丈夫ですね」

「はい、大丈夫。アルトゥホフは救世軍の活動にもつくしている、立派な人物ですよ」

アルトゥホフの麻の背広は清潔だった。この人ならターニャを託すことができる。

「君もシスター・ユリもいろいろと大変でしょうから——ああ、日本行きの船があるんですってね」

留次は、自分もターニャもその船に乗ってきたのだと告げた。牧師がマレー語で通訳をすると、アルトゥホフは大仰《おおぎょう》に愕き、胸に十字を切った。

「奇蹟ですよ、これは。主に感謝しなければなりませんね。何という船ですか」

「弥勒丸っていいます。サンフランシスコ航路に就航するはずだった、豪華客船なんです」

弥勒丸の名を誇らしく口にしたとたん、留次は今さらのように奇蹟を信じた。ターニャははるかなシベリアの監獄から、この赤道直下の平和な島にたどり着き、白系ロシア人の手にゆだねられた。命がけの密航。兄の死。ともに殺されるはずであったものが、ソ連領事館に引き渡されることもなく、こうして安全に保護された。

弥勒——釈迦入滅後、五十六億七千万年後にこの世に現われて衆生《しゅじょう》を救うという仏。弥勒丸はその名の通りの、奇蹟の船だったのだ。

「よかったな、ターニャ」

ロシア語が思いうかばずに、留次は日本語で言った。

意味は通じたのだろう。ターニャは留次の汗に汚れた事業服の胸にすがりついて、「スパシーバ、スパシーバ」と泣いた。

「ともかく、シスター・ユリにはのちほどお知らせするとして——感謝の祈りを」

牧師は教会の扉を押した。

ひんやりとした、清らかな空気が漂い出てきた。

「牧師さん、自分はキリスト教は知らないんですけど」

「かまいませんよ。難しいことは何もない。感謝をして下さい」

弥勒様もキリスト様も似たようなものだろうと、留次は帽子を脱いで教会に入った。

思いがけなく質素な礼拝堂だった。正面に祭壇がなければ、学校の教室のようなものだ。

「あなたの仕事を取り上げてしまいましたね」

マレー人の牧師は浅黒い顔を祭壇に向けたまま微笑んだ。

「自分は弥勒丸の機関員ですから。じきに船が戻ってきたら、内地に帰ります」

「希望者が大勢いらして大変だと聞いていますが、シスター・ユリはそのことで?」

「さっき申し込みに行ったら、混血児はだめだって言われたんです。それで、日本人会にかけあうって」

牧師は、ターニャを腰に抱き寄せたアルトゥホフと、意味ありげに目を見かわした。

「私からシスター・ユリに言っておきましょう。彼女はあの船に乗るべきではない」

「え? ――どうして」

牧師は答えずに通路を進み、祭壇の前にぬかずいて敬虔《けいけん》なプロテスタントの祈りを捧げた。

簡単な祈りをおえると、マレー人の牧師は留次を自室に招いて紅茶と菓子をふるまった。ちょうど祭壇の裏側にあたる石造りの部屋はひんやりとして涼しく、煉瓦《れんが》をくり抜いたアーチ形の小窓からは中庭が望まれた。

支那人の阿媽がテラスから水を撒いていた。混血児たちの姿はない。

「シスター・ユリは立派な人。たったひとりで子供らの世話をしています。一緒にきた赤十字の看護婦はみんな軍の病院に行きましたけど、シスター・ユリはここに来ました。日本人会から頼まれたんです。混血児の世話など、ふつうは嫌がりますね」

紅茶を飲むのは英国統治時代の習慣なのだろう。留次は見よう見まねでカップにミルクを入れ、茶こしを置いて湯を注いだ。

かぐわしいミルク・ティーを口に含んだとたん、留次は夢見ごこちになった。日本を遥かに離れた南国の島で、外人たちと紅茶を飲んでいる。こうしていることが夢なのか、それとも戦争が悪い夢なのか、と思った。

焚《た》きしめられた香《こう》が、窓の形にさし入る光の帯の中で縞模様を描いている。

アルトゥホフがターニャの肩を抱き寄せたまま、留次に何ごとかを訊ねた。ロシア語ではない。たぶん英語だろう。牧師が通訳をした。

「アルトゥホフは弥勒丸のことを知りたがっています。ちょっと話してあげて下さいな」

「弥勒丸のこと？」

留次がためらったのは、それが軍機に属することではないかと思ったからだ。

「いえ、べつに深く考えることはありません。アルトゥホフは若い時分、ロンドンに留学していたこともあるのです。船が大好きだそうです」

「ナウチーチェ、パジャールスタ」

上品な顔をほころばせて、どうぞ教えて下さい、とアルトゥホフは言った。

「でも……弥勒丸は軍の徴用船ですから」

牧師がそのままを通訳したとたんに、アルトゥホフは口髭を歪めて笑った。

「外国航路の船員になるのが夢だったのだと、アルトゥホフは言っています。今は祖国を追われてその夢も消えてしまったけど、と」

笑顔をふと沈ませて溜息をついたアルトゥホフは、いかにも夢を奪われた少年のようだった。

「浅間丸や龍田丸より大きいのか、と言っています」

かつての太平洋航路のエースたちの名がアルトゥホフの口から出たとき、留次は愕くよりも嬉しい気分になった。

「アルトゥホフはいちど浅間丸には乗ったことがあるそうです」

「え？——本当ですか」

「はい。商用で横浜からサンフランシスコへ行ったのだ、と。あの浅間丸より立派な船なら、ぜひ話だけでも聞きたい。きっと世界一のパッセンジャー・シップでしょう」

留次は晴れがましい気分になった。そう、弥勒丸は世界一の船だ。

「そりゃあ、世界一ですよ。浅間丸や龍田丸では、アメリカのプレジデントやカナダのエムプレスにかなわないから、それ以上の船を造ったんです。総排水量一万七千トン。エンジンはデンマーク製バーマイスター・アンド・ウェイン社のディーゼルで——」

「ジャスト・ア・モーメント」

と、アルトゥホフは片手をさし出した。なごやかに笑いながら手帳を取り出して、牧師に手ぶりをまじえながら言う。

「書きとめてもいいかと言っていますが、かまわないですね？　友人たちに弥勒丸の自慢をしたいんだそうです」

「べつに……いいと思うけど」

留次のティーカップに紅茶を注《つ》ぎたしながら、牧師はやさしく言った。

「ご心配は無用ですよ。アルトゥホフは平和主義者です。弥勒丸がサンフランシスコ航路に就く日を、心から待ち望んでいる。もちろんその気持ちは私も同じ。あなたも同じでしょう。ミスター・ムラヤマ」

平和主義者という言葉にはいささか抵抗があったが、留次は素直に心を動かされた。森田船長も笠原一等航海士も、機関長も甲板長も司厨長も、平和主義者かどうかはともかくとして、弥勒丸をこの戦から守ることに心を摧《くだ》いている。実はそのことしか考えてはいないと思う。

「浅間丸も龍田丸も、沈んでしまったらしいんです」

ああ、と牧師は声を上げた。沈鬱な通訳を聞くと、アルトゥホフも首を振って嘆いた。

「弥勒丸をそんな目に遭わせてはならないと言っています。アルトゥホフは心から船を愛している」

牧師は軽く十字を切って、留次に向き直った。

「それにしても、弥勒丸は日本に引き揚げる人たちを大勢乗せるのだとか。大丈夫なのでしょうか」

「それは、平気だと思うけど……赤十字の船だから」

留次の胸に、急降下攻撃をしかけてきたグラマンの姿がよぎった。決して安全ではないと思う。引き揚げ者を満載した弥勒丸にもういちど同じことが起これば、たくさんの人が死ぬ。

「あの、これは噂なんですけどね――」と、牧師は浅黒い顔の太い眉をひそめて言った。

「弥勒丸は日本に帰る途中、どこかに寄るんじゃないかと、ある日本人会の人が言っていました。それ、聞いていますか」

留次は首を振った。そんな話は誰からも聞いてはいない。

「どこか、って？」

「さあ。台湾か、香港か、それとも上海？」

「まさか。寄り道なんてするはずはないですよ」

牧師とアルトゥホフは顔を見合わせた。

「それにしても、妙な噂ですね」

村山留次は首をかしげた。弥勒丸はシンガポールであらかたの荷を降ろしたあと、ジャカルタ、ムントクとめぐって再び戻ってくる。そして内地帰還者を満載して出航する。

ふと、ある仮定が留次の胸をよぎった。

もしかしたら弥勒丸は、民間人を輸送するだけでなく、軍需物資を積もうとしているのではないだろうか。

運航指揮官は大本営の参謀で、一個小隊の陸軍船舶工兵が乗りこんでいた。彼らが船長や一等航海士とそりが合わないことも、船内では公然たる噂になっていた。吃水下の船倉はからっぽで、赤十字物資はほんの一部分に積まれていたにすぎない。そして——朝方ラッフルズ・ホテルでの、あの騒動。特務機関の少佐の狼狽ぶり。

弥勒丸はシンガポールで何か重要な軍需物資を積み、どこかで降ろすのか。あるいはどこかの港で積みこみ、内地に向かうのか。

「何か思いあたることでも？」

マレー人の牧師は微笑みながら留次の顔を覗きこんだ。

「あ、いえ……そんなこと、あるわけないなと思って」

「でも、妙な噂でしょう？　もし万が一弥勒丸が勝手に航路を変更するとしたら、えらいことですよ。だからもしあなたが何か知ってらしたら教えてほしいと思って」

「自分は何も知りません。見習の機関員ですから」

アルトゥホフの剣呑な目つきが気になってしかたがなかった。不用意なことを口に出すべきではないと留次は思った。

「もし航路を勝手に変更したら、どうなるんですか」

「それはあなた、危ないですよ。決められた航路からはずれていれば、それは弥勒丸じゃないということになる」

「弥勒丸はどこから見てもわかります。夜はすべての灯りをつけているし、船体も緑色に塗って、大きな白十字をたくさんつけています。第一ひとめ見て、あんな立派な船――」

「ですから」と、牧師は手を挙げて留次の言葉を遮った。

「弥勒丸だということはわかっても、それは弥勒丸ではないということになる」

「どうして……?」

聞き返す間もなく、留次の背は冷たくなった。

もしかしたら、あの特務機関の少佐はそれを承知で、島崎百合子と混血児たちを受付所から追い返したのではないだろうか。

牧師とアルトゥホフは何ごとかを英語で囁き合った。

「ああ、シスター・ユリが帰ってきました。ありがとう、ミスター・ムラヤマ。ターニャは責任もってお預かりしますよ」

教会の裏口から出ると、島崎百合子が中庭の棕櫚《しゅろ》の木蔭から手招いた。

眉間にしわを寄せて、早くこいと手を振る。留次は走り寄った。

「何をしてたの」

礼拝堂の裏窓を振り返る。そこに人影はなかった。

「あそこで、牧師さんと話していました。ロシア人の信者の人がきて、ターニャを預かるって」

「ターニャを？」

「ええ。紳士でしたよ。クアラルンプールに住んでいる白系の人です」

百合子は不安と安堵がないまぜになった顔で裏窓を見た。

「牧師さんと、何の話をしたの」

「弥勒丸のことです。アルトゥホフが知りたがっていたから」

百合子はとたんに白衣の裾を翻して留次の腕を引いた。

「どうしたんですか」

「ちょっと来て。早く」

ひとけのない保育所の中は静まり返っていた。廊下の先から支那人の阿媽が、「おかえりなさい、シスター」と日本語で言った。

百合子は留次の事業服の袖を摑んだまま、あわただしく居室に入った。

「日本人会に行ったら、憲兵が来ていたの。ジョホール・バールからスパイが大勢入ってきているから気を付けろって」

「アルトゥホフはスパイじゃありませんよ」

「どうしてわかるの」

「だって、牧師さんの古い友達だって。救世軍の活動にも熱心に参加しているそうです」

「ロシア人にプロテスタントはいないわ」

言い返そうとして、留次の唇は凍えた。函館で過ごした幼い日の記憶が甦ったのだった。白系ロシア人たちはみな、ロシア正教会に通っていた。

「それにね——」と、百合子は言いかけて少しためらった。

「それに、あの牧師さんもちょっとおかしいの」

「おかしい、って？」

「讃美歌をよく知らない。聖書の話もちんぷんかんぷんで、必ず話題から避けようとするわ。私、あの人はクリスチャンじゃないと思う」

留次はぼんやりと、百合子の白衣の胸に輝く銀のクルスを見つめた。自分は一時間以上もの間、何を訊ねられ、何を話したのだろう。言われてみればたしかに、牧師とアルトゥホフは何かをさぐっていたような気もする。

「ターニャを取り返さなくちゃ」

戻りかける留次の腕を、百合子が引き止めた。

「だめ。スパイなら武器を持っているわ。ターニャのことは私に任せて」

膝頭ががたがたと慄え出して、留次は床にへたりこんだ。

話の途中で、けたたましく日比野の携帯電話が鳴った。

遠い過去の世界から連絡が入ったような気がして、軽部順一は身を硬くした。

「失礼」と、日比野は立ち上がって壁に向いた。

背筋を伸ばした姿勢と沈着な受け答えとで、相手が誰であるかは知れる。共道会の山岸修造にちがいない。

「順ちゃん、おやじさんから」

振り返って電話機を差し出した日比野の表情は緊張していた。一同を見渡してから、軽部は電話機を耳に当てた。

「軽部です。きょうはお疲れさまでした」

席をはずすべきかどうか迷った。しかし誠実に告白を続ける土屋和夫と高松貞彦に、背を向けることはできなかった。

〈まだ大磯にいるんだがな〉

と、少し間を置いてから、山岸はしわがれた声で言った。

〈会長は決心をなすった。郁さんと三人で今まで話し合った。弥勒丸を、引き揚げる〉

とっさに返す言葉が思いつかなかった。

〈どうした、軽部〉

「いえ、あまり急だったものですから……」

〈どんなに長い話だって、決まるときァ急なもんだ。金は船舶連合会が出す。俺と郁さんとで細かな段取りはつける。年寄り三人だが、まだまだその気になりゃあ、できねえことは何もねえよ〉

「わざわざありがとうございます。実は今、高松議員と、もうひとり弥勒丸の関係者の方から話をうかがっているんです」

〈そうかい。なら電話はたいがいにしておこう。みなさんにも伝えておきな。弥勒丸は必ず引き揚げるって〉

電話はいかにも山岸らしく、ぶっきらぼうに切れた。

しばらくの間、軽部は黙って発信音を聴いていた。

「どうしたの、順ちゃん――」

律子に肩を揺すられて、軽部は我に返った。

高松貞彦は目を瞠っており、土屋和夫は小さな体の胸に腕組みをしたまま、眠るように瞼を閉じていた。

彼らに伝えねばならなかった。

「小笠原会長が決心なさいました。弥勒丸を、引き揚げます」

はっきりと口に出したとき、軽部は自分の心を被っていた一枚の皮が、音を立てて剝がれ落ちるのを感じた。

高松も土屋も日比野も律子も、まるで生まれ落ちた赤児のように、かがやかしい顔をしていた。

軽部は弥勒丸の正体を知った。

われわれが平和と繁栄のうちに葬り去っていたもの。忘却することで自分の幸福が約束されるのだと信じていたもの。

弥勒丸は日本人の良心そのものだった。

遥かな闇

ソフィアの丘の救世軍本営を憲兵隊が急襲したのは、その日の夕刻だった。

おそるおそるテラスに出てみると、拳銃を構えた憲兵将校が中庭を歩いてきた。

「神妙にせい、教会の者か」

「いえ……海軍軍属であります」

将校は訝しげに村山留次の事業服を見た。

「ここで何をしている」

「自分は弥勒丸の乗組員です。命令を受けてここにおります」

「誰の命令か」

「運航指揮官の堀少佐殿のご命令です」

「他に誰かいるのか」

歩兵銃を構えた憲兵が、保育所の玄関を囲んだ。

「看護婦と、あと支那人とマレー人の使用人がひとりずつ。怪しい者ではありません」

乳呑児《ちのみご》を胸に抱いて、百合子がテラスに出てきた。

「島崎百合子さんですね」と、将校は拳銃をおろし、急に穏やかな声で言った。

「特務機関長の小笠原大佐殿から、あなたを保護するように言いつかっております。おけがは?」

「大丈夫です。あの、何か……」

青ざめた顔をちらりと留次に向けて、百合子は目配せを送った。何も知らなかったことにしておけ、という意味だろう。

「実は前々から内偵はしていたのですが、この教会のマレー人牧師がスパイ活動をしていたらしい。ちょっとお話を伺いたいので、憲兵隊までご足労下さい」

おそらく特務機関から厳命されているのだろう。憲兵の物腰は丁重だった。

砂を蹴立てて下士官が走ってきた。

「教会の中はもぬけのからです。祭壇の内部から小型無線機を発見しました」

将校は舌打ちをして、百合子に訊ねた。

「きょう、何か変わったことはありませんでしたか。牧師はおりましたか」

とっさに答えようとする留次の腕を引いて、百合子が言った。

「この村山君は弥勒丸に乗っていたロシア人の子供を保護していたんです。私と一緒にラッフルズ・ホテルに行って、途中で別れてここに戻ってくると、牧師さんの他に見知らぬロシア人が待っていて――」

「ロシア人？」憲兵はぎろりと留次を睨んだ。

「貴様、そのロシア人と話をしたか」

「はい。ターニャを、もとい、そのロシア人の子供を引き取ってくれるというので、そこの牧師さんの部屋で」

将校は棕櫚の葉に被われた教会の裏窓を振り返った。それから、暗く低い声で言った。

「弥勒丸について、何か話したか」

留次には話の内容が思い出せなかった。警戒心はあったと思うのだが。

「訊かれたけど、船のことは口にしませんでした。あの人、スパイだったのですか」

「お尋ね者の大物スパイだよ。弥勒丸については、本当に何も話していないな」

憲兵将校は留次の表情を注視しながら念を押した。

「話していません。時間もほんのわずかでしたし」

将校は疑わしげに舌を鳴らして、百合子に視線を戻した。

「実は、そのロシア人を見かけたという通報があったのです。人力車に乗って、ソフィア・ロードを北に登って行ったと。行先はここしか考えられませんから――まあ、ここで立ち話もなんです。とりあえず憲兵隊までご足労下さい。おい、貴様もこい」

百合子は乳呑児を支那人の阿媽に預けると、憲兵の後に従った。

大変なことになってしまった。留次の頭の中は真白だった。スパイたちに話したことは、何ひとつ思い出せない。だが確かにあのロシア人は弥勒丸について執拗《しつよう》に訊いた。何を答えたろう。思い出せない。

歩きながら留次は百合子の白衣の袖を引いた。

「島崎さん。ターニャは、どうなっちまうんでしょうか」

「わからない。でも、スパイは善意でターニャを引き取ったわけじゃないわ」

「どういうこと?」

「ターニャから、弥勒丸のことを訊き出そうとしている。あの子は知っているの? 船のこと」

鳥肌が立った。士官室に軟禁されていたのだから、詳しいことは何も知らないと思う。言葉もわかるまい。あとは大人たちのやりとりを、どのくらい肌で感じたかどうかだ。

「島崎さん――」歩みを止めて憲兵との距離を計りながら、留次は囁いた。

「やっぱり、弥勒丸には何か秘密があるんだ。スパイが探り出そうとするような極秘任務があるんだ」

「めったなこと言うものじゃないわ。あなたは何か知っているの?」

留次は顎を振った。怪しい話は何も耳にしていない。しかし思い当たるふしはいくらもあった。

門司を出港した翌日、グラマンに攻撃されて操舵手が死んだ。航海中ずっと、敵の潜水艦や魚雷艇に監視されていた。そして、一等航海士と堀少佐の不和。安導券を与えられているにもかかわらず、弥勒丸にはただならぬ緊張感が漲《みなぎ》っていた。

「それよりも、村山君」と、島崎百合子は歩き出しながら言った。

「私たちが考えなければいけないのは、ターニャの身の上よ。あなたの任務もそれ」

そうだ。そうだった。自分はターニャを守らなければならなかったのだ。スパイだとは知らずに、ターニャをあのロシア人に預けてしまった。

教会の前に埃にまみれたトラックが止まっていた。

島崎百合子は将校とともに助手席に乗り、村山留次は荷台に押し上げられた。銃口に追い立てられて、何人かのマレー人と支那人が乗ってきた。

「この人たちも、スパイなのですか」

と、留次は拳銃を握ったままの曹長に訊いた。

「知っているのか、こいつら」

「いえ。さっきはいませんでした」

「たぶん、ただの信者だと思うがな。行儀よくお祈りをしていた。だがいちおう取り調べはする」

トラックは砂埃をあげて走り出した。陽が落ちて熱のさめた風が吹き過ぎる。

「ところでおまえ、弥勒丸の乗組員だそうだが、どうしてこんなところにいたんだ」

「通訳です。あんまり役には立たないんですけど」

「通訳?」いかにも歴戦の下士官という感じの憲兵曹長は、ぎょろりと留次を睨んだ。

「何語の通訳だ?」

留次は言いよどんだ。まちがいなく疑われる。偶然のなりゆきとはいえ、片言のロシア語を話せる自分が、ロシア人スパイと会っていたのだ。

「ロシア語です」

言ったとたん、曹長はあからさまにぎょっとして留次の腕を摑んだ。

「偶然なんです。ロシア人の密航者をここまで連れてきて、まだ子供だから救世軍に預けるのがいいだろうと……自分は少しだけロシア語ができたから」

話すほどに留次はしどろもどろになった。憲兵たちの銃口が自分に向けられているような気がした。

「なぜロシア語などしゃべれるんだ」

「それは、あの……父が帝国郵船の社員で、子供のころ函館に赴任していまして……」

「函館、だと? だからロシア語がしゃべれるというのか。わからんな」

「近所に白系ロシア人が大勢いたんです。それで、子供どうしで遊んでいるうちに覚えて」

「ずいぶん都合のいい話じゃないか。ちょっと立て。立たんか」

曹長は留次を乱暴に立ち上がらせると、運転席の屋根に押しつけて事業服を探り始めた。

「怪しい者じゃないです。弥勒丸の乗組員です。本当です」

「言いわけは憲兵隊で聞く。疑いたくはないが、信じろという方が難しい」

「弥勒丸に問い合わせて下さい」

「昭南ではな、人を見たらスパイだと思わねばならんのだ。第一、弥勒丸そのものが何やらわけがわからん」

トラックはソフィアの丘を駆けおりると、警笛を鳴らしっぱなしに鳴らしながら、日本人街を走り抜けた。


昭南憲兵隊はラッフルズ・ホテルにほど近い、立派なイギリス建築の中にあった。

百合子と留次は廊下を隔てて別室に入れられた。

「昭南特務機関の土屋少佐殿に連絡して下さい。お願いします」

と、留次は曹長に懇願した。

二人の後から、筆記具を持った目つきの悪い軍曹が入ってきた。

「おい、知ってるか。土屋少佐殿だと」

「さあ」と、軍曹はにべもなく顎を振った。

「特務機関員はそもそも正体不明ですからね。土屋という名前は、軍司令部の将校には思い当たりませんが」

シンガポールには誰ひとりとして知り合いはいない。大変なことになるかもしれないと留次は思った。スパイだと決めつけられたまま、銃殺されてしまうかもしれない。

「その土屋少佐殿がおまえの身の潔白を証明してくれるというのだな」

「はい。弥勒丸が入港すればもちろんわかりますけれど」

「よし。ともかくその土屋少佐殿には問い合わせてみよう。とりあえず調書を取る。ありのままを答えよ」

曹長は大きなソファに向き合って腰をおろし、煙草をつけた。書記役の軍曹は窓ぎわの机に書類を拡げた。

英国統治下の役所か商館だろう。天井も壁も象牙色で、床には深々とした絨毯が敷きつめられている。戸口に立った伝令がスイッチを入れると、頭上にシャンデリアが灯《とも》った。

「名前は?」

「村山留次。トメは留学のリュウ、ジはツギです」

「齢は」

「十六です。昭和五年三月十五日生まれ」

「出身は」

「函館です。帝国郵船の社宅で生まれました」

「弥勒丸に乗船した経緯は」

「南方から帰ってソ連のナホトカに向かう前に、乗組員の臨時採用があったんです。そのとき――」

「ナホトカ？　何だそりゃあ」

留次はひやりとした。憲兵は弥勒丸について何も知らない。その存在は彼らにとっても謎だらけなのだ。これでは身の潔白などとうてい証明できないのではあるまいか。

「俘虜のための赤十字物資を受け取るために、ナホトカに行ったんです」

曹長と軍曹は顔を見合わせた。

「おい、こいつ何を言っておるんだ」

「さあ――」

留次は身を乗り出して言った。

「ですから、敵の俘虜のための食料を国際赤十字が用意して、それを弥勒丸が南方の収容所へと運び――」

「いいかげんにしろ！」と、軍曹は卓を叩いた。

「おまえ、いま日本が何をしているのか知っとるのか。ルソンでは山下兵団が決戦中だというこのときに、俘虜のための食料を運ぶなどと、誰が信じるか」

曹長の目つきはいっそう疑わしげになっていた。

「本当です。もしかしたらそれは軍の機密なのかもしれないけど、本当です」

「どんな極秘任務でも、われわれは知っておるよ。だが、そんな話は初耳だ」

「いえ、そういうわけだから、弥勒丸は安全なんです。敵の攻撃も受けないし、臨検もされないんです。ほら、けさから帰国志願者の申し込みが始まっているでしょう」

「おまえの言うことはよくわからん。弥勒丸には南遣艦隊の護衛がつく。比島の第四飛行師団が空から護《まも》る。安全だから民間人を輸送するのだ。ここは間もなく決戦場になるのだからな」

曹長の言うことには、それなりの説得力があった。

「でも、弥勒丸の任務は――」

「いいかげんにせい。敵俘虜のための食料だと？　ふん、誰が信じるか」

ここは戦場なのだと留次は思った。平和な町に見えるのは、シンガポールが孤立しているからなのだ。フィリピンが陥落し、制空権も制海権も敵に奪われてしまった南方戦線の、ここは孤島なのだ。そしてたぶん、使い途のなくなった無傷の軍隊は、真実の戦局を知らない。少なくとも香港からシンガポールまでの長い航海の間、翼に日の丸をつけた友軍機は一機も見ることがなかった。

「で、その臨時採用とやらに応募して弥勒丸に乗ったと。そういうわけだな」

「はい。本当は、予科練を志願しようとしたんですが――」

予科練という言葉が出たとたん、曹長はいきなり身をはずませて留次の頬に鉄拳を浴びせかけた。こめかみをまともに叩かれて、留次はソファに倒れ伏した。

「いいかげんにしろ。予科練出身のパイロットが、どんな戦をしておるか知っているのか」

曹長の顔は青ざめていた。

どうかしている。この平和な町に取り残された軍人たちは、みなどうかしている。何も知らされぬままに、勝手なことを考えて、勝手な戦をしようとしている。

「土屋少佐殿を呼んで下さい。自分はこれ以上、何もしゃべりません」

留次は起き上がると、ソファに背をもたせて腕を組み、目を閉じた。

「よおし。いい覚悟だ。その土屋少佐殿をここにお呼びすれば、おまえのことも、弥勒丸のこともはっきりするというんだな」

留次は答えなかった。方法はそれしかないのだ。留次を睨み据えたまま、曹長は命じた。

「伝令。ラッフルズに行って、昭南特務機関の土屋少佐殿を探してこい」

敬礼をすると、伝令の兵は廊下に駆け出して行った。


「あのう……ちょっとよろしいでしょうか」

背中から心細げな声をかけられて、土屋和夫は振り返った。

乗船希望者でごった返すラッフルズ・ホテルのロビーで、とっさに声の主のありかはわからなかった。土屋は書類に目を戻した。

三日間で千人の乗船者名簿を作成する予定だったが、受付開始からわずか数時間のうちに、半数ちかくの登録がされてしまった。しかもロビーにはまだ長蛇の行列が続いている。いったん整理番号を与えて、解散させるほかはないだろう。明日もあさっても、帰国希望者はやってくる。

「あの、すみません。よろしいでしょうか……」

今度は間近で声が聴こえた。

太柱の蔭に親子連れが立って、上目づかいに頭を下げている。夫は三十前後の日本人で、白い開襟シャツに麻のズボンをはき、メガネをかけていた。妻らしい女は小柄なマレー人である。夫婦の間に七、八歳の男の子が、不安げな表情で立っていた。

「何でしょうか？」

土屋の柔かな受け応えがよほど意外だったのか、男は一瞬妻と顔を見合わせた。それからさも恐縮したように腰を屈めながら歩み寄り、用意していたらしい名刺を差し出した。

南洋日日新聞記者、とあった。

「ああ、取材でしたらご遠慮下さい。ごらんの通り取りこんでおりますから」

「いえ、そうじゃないんです。ちょっとご相談が」

男は切実な声で言った。肩ごしに妻子の表情を見て、土屋はあらかたを理解した。

「少佐殿は、こちらの責任者でらっしゃいますか」

「はい。受付事務は自分の担当ですが。何か」

「そうですか。実はぜひ折入って」

男は言いづらそうに周囲を見渡した。土屋は柱の蔭に男を誘った。

「倅を、何とか船に乗せていただけるよう、お願いできませんでしょうか」

マレー人の母親が子供の坊主頭を乱暴に押さえつけた。母に良く似た、愛らしい子供だった。

「先ほどもご説明した通りです。特例は認められません」

「そこを何とか。実は、私の実家は神戸で商いをしているのですが、跡取りがいないのです。昭南はこの先どうなってしまうかわからないし、せめて子供だけでも祖父母のもとに帰さないと、家が絶えてしまうのです」

男は子供の肩を抱いて頭を下げた。理由はどうであれ、ともかく子供を救いたい一念なのだろう。

マニラ失陥後はシンガポールが決戦場になるのだと、地元新聞の記者までが信じ切っている。

どう答えれば良いのかと土屋は苦慮した。

男は土屋のとまどいを見て、交渉の余地があると考えたようだった。

「こういうことになってしまったのも、私の若気の至りと言ってしまえばそれまでなのですが——戦前から早く神戸に帰って家業を継げと矢の催促でして、そうこうするうちにこいつを貰って」

と、男はマレー人の妻にちらりと目を向けた。

「個人的な事情は、まあわからんでもないのですが……」

母親の瞳は潤《うる》んでいた。子供を弥勒丸に乗船させることは母子の永別《えいべつ》を意味する。いったいこの夫婦は、決心をするまでにどれほど苦悩したことだろう。

「今さら混血児は乗せるわけにはいかんと言われましても——」

「ごらんの通り希望者が殺到しているのです。ご理解下さい」

「妻はきちんと入籍をしております。子供は私の長男です。同じ日本国籍を持つのに、混血児だという理由で名簿から除外されたのでは、たまったものではありません」

話しながら男は次第に興奮してきた。主張はもっともである。

土屋は一歩進み出て、声をしぼった。

「昭南が戦場になると決まったわけではありませんよ。危険はどこも同じです」

「いえ、私も新聞記者のはしくれですから、軍の情報は把握しているつもりです」

「情報、とは？」

土屋は男の話に興味を持った。いったい軍は、地元新聞社にどのような情報を流しているのだろう。

「敵の次の攻撃目標は昭南だと。マッカーサー軍はいま、昭南攻略の準備をしており、夏には来攻してくると聞いています」

「そのようなことを、誰が？」

　男は少し言いためらった。

「南方軍の情報参謀がおいでになったとき、そうおっしゃいました。もちろん公式の発表ではありませんが」

　土屋は思わず男の肩を摑んだ。

「それを記事にしたのか」

　ふいに血相を変えた土屋から逃れるように、男は後ずさった。

「いえ……ですから、公式の発表では……」

「いつ、誰が聞いた」

「はあ……噂は以前から耳にしていたのですが、先日南方軍の参謀がいらっしゃったとき、報道関係者と日本人会の幹事を招いて会食をしたのです。そのとき——」

　やはり噂は故意に流布《るふ》されている。

　土屋はロビーの雑踏を振り返った。衝立で仕切られた受付所から中庭まで、乗船希望者の列は続いていた。

――人柱。人間の栖。

怒りが真黒な塊になって咽元につき上がってきた。

戦争には大義も正義もない。それは人間の神に対する反乱。狂気だ。

「弥勒丸に、乗ってはいけない」

土屋和夫はまっすぐに男の目を見て言った。

「ですから、そこを何とか」

「ともかく、乗ってはいけない」

男は土屋の強いまなざしに怯んだ。言葉にちがった意思の隠されていることを、男は感知したようだった。

「なぜ、ですか……」

「私の言うことは、あなたの胸にしまっておいて下さい」

祈る気持ちで土屋は続けた。

「お子さんを、ソフィア・ロードの救世軍施設に預けておられませんでしたか」

「はい。乗船希望者は各個に申し込みをするということで、けさ連れてきました」

島崎百合子の面影が瞼をよぎって、土屋は唇を嚙みしめた。

「混血児を殺してはいけない。彼らはシンガポールの子供だから。日本が夢に見た、大義の申し子だから。日本人がみな死んでも、彼らを一人たりとも殺してはいけない」

わかって欲しいと、土屋は思った。少なくともそうと信じて、自分は戦ってきた。死んでいった兵士たちも、みなそれだけを信じて戦ったはずだ。この戦が聖戦であると、今も信じたい。大東亜共栄圏の夢を信じたい。われわれは決して侵略したのではなく、欧米の植民地支配からアジアを解放するために戦ったのだと、悠久の平和のために血を流したのだと信じたい。

「昭南に、敵は来ません」

「え？」

と、男は意表をつかれたように目を瞠《みは》った。

「敵が昭南に上陸するときは、戦の終わったときです。だから、あなたがたはここを離れてはいけない。奥さんもお子さんも、決して手放さずに、じっとしていなさい。いいですか、誰にも言ってはいけない。弥勒丸には乗らずに、じっと時の過ぎるのを待って下さい」

男は土屋の瞳をしばらく見つめてから、ひとこと「はい」と答えた。

立ち去るとき、男は足を止めて振り返った。

「お名前を、お聞かせ願えますか」

「それは不要でしょう」

「いいえ。誤解なさらないで下さい。もし私たち家族が生き永らえたのなら、命の恩人の名はこの子に教えてやりたいですから」

自分は日本銀行クアラルンプール支店の土屋和夫だと、名乗りたかった。

「自分は、昭南特務機関の土屋少佐です」

男は深々と頭を垂れた。マレー人の母親も子供の坊主頭を押さえつけて、日本ふうのお辞儀をした。

「お子さんは、きっと神戸のお店のいい跡取りになりますよ。じゃあ」

土屋は軽く敬礼をして、家族の脇をすり抜けた。

整然と面接の順番を待つ行列に沿って、土屋は歩いた。明日もあさっても、乗船希望者はやってくる。

やり場のない怒りが、腹の中で煮えたぎった。

「土屋少佐、どちらへ？」

面接所から高松貞彦が呼び止めた。

「機関長は事務室におられるか」

「いえ、先ほどお出かけになられました」

言いながら高松は書類綴《つづり》を閉じて駆け寄ってきた。

「どうかなさったのですか」

怒りを笑顔でつくろって土屋は答えた。

「いや、板垣閣下に報告しなければならんことがある。できれば機関長も同席して下さった方がいいのだが」

「小笠原大佐はたぶん、埠頭にいらしたと思いますが。軍司令官閣下でしたら、三階の会議室におられます」

「会議中か」

「南方軍の参謀と」

「参謀とは、誰だ」

「お名前は存じ上げません。情報参謀の方だと思います。他に船舶輸送司令官の稲田閣下も同席しておられます」

「稲田閣下が？」

「はい。先ほど会議室の前でお見かけしました。船舶輸送司令部の参謀も何人かご一緒でした」

第三船舶輸送司令部は東南アジア全域における輸送船舶の運用を指揮している。昨年の暮にマニラからシンガポールへと転進してきたのだが、土屋は司令官の稲田中将とも、司令部の幕僚とも面識がなかった。

「弥勒丸についての会議、ということになるな」

「そうですね――」

高松候補生は不安げに土屋の表情を窺った。

「今の親子づれが、何か？」

土屋は南洋日日新聞記者の名刺を高松に見せた。

「どうやら南方軍の参謀が、新聞社と日本人会にありもせぬ情報を流しているらしい。昭南で玉砕戦をやるから、女子供はなるべく弥勒丸で内地に帰れ、と」

「南方軍の参謀が――ひどい話ですね、それは。自分もご一緒しましょう」

「いや、貴官はここに残って実務を続けてくれ。この騒ぎを何とかしなければ」

土屋は平静を装って歩き出した。怒りはおさまらなかった。新聞記者の言葉で、想像は確信に変わった。

中国経営の要である中央儲備《ちょび》銀行の破綻を防ぐために、シンガポールに集積した黄金を上海に輸送する。正確で迅速な手段は、安導券によって航行の安全を保障された、快速の豪華客船弥勒丸をおいて他には考えられないのだ。

しかし、上海は外務省を通じて米軍に打電した予定航路から大きく外れる。敵潜水艦の攻撃を避ける究極の手段として、軍は弥勒丸の甲板に溢れ返るほどの民間婦女子を乗せようとしている。

高松と別れたとたん、再び土屋和夫の顔は怒りで青ざめた。

「軍司令官閣下に急用だ。通るぞ」

会議室前の廊下に立つ衛兵は、土屋の前に立ち塞がった。

「何ぴとも通すなと、副官殿に命じられております」

「緊急の用事だ。通せ」

衛兵は土屋の威迫におじけづくように退いた。

会議室の大きな扉を開けてから、土屋は軍人の声で言った。

「昭南特務機関、土屋少佐。軍司令官閣下に用事があって参りました。入ります」

絹を張った衝立の向こうで、どよめくように人影が動いた。

「待て！」と叫んで、副官が駆け寄ってきた。

「板垣閣下とお話をしたい」

制止しようとする副官を肘《ひじ》で押しながら、土屋は会議室に入った。

円卓を囲んだまま振り返った人々の顔を一瞥《いちべつ》して、土屋は息を呑んだ。

「これは……」

第七方面軍司令官の板垣大将の左隣に、船舶輸送司令官の稲田中将。右隣には南方総軍の参謀らしい高級将校が二人、並んでいる。さらに軍司令部と輸送司令部の参謀。いずれも陸軍の軍人ばかりである。しかし土屋の目を疑わせたのは、扉に背を向けて卓につく、三人の民間人だった。

「どういうことですか、これは……」

直属の上司である日本銀行クアラルンプール支店長。その隣にシンガポール支店長。そしてもうひとりは、顔見知りの大蔵省吏員だった。

一瞬のうちに土屋は理解した。

みんな、グルだ。

「やあ、ちょうどよかった。いま小笠原機関長を呼ぼうとしておったのだが、あいにく外出しているらしい。まあ、掛けたまえ」

声は落ちついていたが、軍司令官は明らかに動揺している。

機関長を呼ぼうとしたのは本当かもしれない。しかし自分は招かれざる客だと土屋は思った。

「閣下。——閣下は、昭南特務機関を利用なされたのですね。乗船者名簿を作りおえるまでは、真実を教えまいと——」

「無礼者、言葉には気を付けよ！」

と、背後から副官が腕を摑んだ。

円卓の上には東南アジアの地図が拡げられていた。船舶司令部の参謀がただひとり立ち上がっているのは、そうして弥勒丸の航路を説明していたのだろう。

「やあ、土屋君。ご苦労さま」

と、クアラルンプール支店長が卑屈な笑みをうかべた。

「どういうことですか、支店長。あなたはすべてを承知の上で、行員たちに華僑資産の没収を命じたのですか」

「没収はひどいよ、土屋君」

と、支店長は苦笑した。

「軍票と引きかえに金を回収することは、今や没収と同じことでしょう」

座は静まり返った。総軍参謀が居丈高に言った。

「本土決戦の軍費である。いたしかたあるまい」

とたんに土屋は副官の手を払いのけて、支店長の脇に立った。拡げられた地図の一点を指し示すつもりが、拳で卓を思いきり叩いていた。

「ではあなたに訊く。台湾海峡から北上するこの赤い線は何だ。なぜ弥勒丸が上海に向かう。本土決戦の軍費を、なぜ上海で下ろす」

誰も答えることはできなかった。沈黙がいよいよ土屋を憤らせた。

「自分は日本銀行員です。クラーク・キーに集積されたインゴットが、本土決戦の軍費などでないことはわかる。あれは上海の中央儲備銀行に搬入される金だ。取り付けを防ぐための金なのでしょう。ちがいますか」

土屋は円卓を囲む人々の顔をひとつひとつ見つめ、正面の板垣軍司令官に目を据えた。

「初めから君をこの会議に加えていなかったのは、あやまりだったな」

低い軍人の声で、たしかに悔いるように軍司令官は言った。土屋はもう一歩、踏みこまねばならなかった。

「自分はそのようなことを言っているのではありません。中央儲備銀行の危機がどれほど重大なことであるかはよく知っております。何としてでも早急に確実に、相当量の金を上海に輸送しなければなりません。問題は——」

土屋は言葉を選んだ。しかし躊躇《ちゅうちょ》してはならなかった。二千人の命は、いま自分の双肩にかかっているのだと思った。

「問題は、そのように危険を承知の弥勒丸に、二千人もの民間人を乗せることです。いったい閣下は、何をお考えになっておられるのですか。お聞かせ下さい」

長い沈黙がやってきた。重苦しい時間のかさむほどに、自分のおそろしい仮定を確信しなければならなかった。やがて土屋は沈黙に圧《お》し潰《つぶ》され、卓の上に両手をついて肩を落とした。

「ひどすぎますよ、閣下。弥勒丸の甲板に女子供を並べて、楯にしようなんて……」

軍司令官は重い溜息をついて身を乗り出した。

「では、君に訊ねよう。ほかに手だてはあるかね。こうしている間にも儲備銀行に出向している君の同僚は、祈る気持ちで金の到着を待ちあぐねているのだぞ」

「空輪を、お願いいたします」

「そんなことはまっさきに討議した。一機の重爆にいったいどれほどの金が積めると思う。

よしんば陸海軍の飛行機を総動員して輸送作戦を決行したところで、何機が上海に到着できる」

力なく黙りこくってしまった軍司令官にかわって、南方総軍の参謀が言った。

「昭南はスパイの巣窟だ。捕まえても捕まえても、やつらは海峡を越えて入ってくる。しかもこの狭い土地に三万もの大軍が駐屯していれば、情報が敵に洩れぬはずはない。単機では狙い撃ちされる。直掩戦闘機をつけて編隊を組めば、レイテの艦載機が殺到するだろう。いずれにせよ、航空輸送は不可能だ」

参謀の言葉には、決して思いつきの行動ではないのだという説得力がこめられていた。

「しかし、だからといって……」

「いや。それしかない。ほかに手だてはない」

たしかに討議しつくした結論かもしれない。しかし、いかに戦とはいえ人間を楯に使うのは狂気の沙汰だ。

「だからわれわれは、まず軍と官の家族を乗せる」

「ちがう」と土屋は顎を振った。

「いくら甲板に女子供が溢れていようと、敵は容赦しない。やつらは内地の都市を無差別に爆撃した。軍人と非戦闘員の区別など、はなから頭にはないんだ」

「大丈夫だ」と、参謀は荒々しく卓を叩いた。

「台湾海峡からは海軍航空隊の精鋭が掩護する。さらに支那派遣艦隊の駆逐艦が護衛をする」

「いや、大丈夫なはずはない。敵はこの作戦をすべて知っております。その証拠に、自分は先日、敵のゲリラに襲われました。小笠原機関長もあやうく拉致されるところでした。つまり敵はすでに、昭南における担当者の行動まで監視しているのです。そこまで知りつくしている敵が、この作戦を指をくわえて見すごすはずはない。敵は——弥勒丸を攻撃します。何としてでも沈めようとします」

「だまれ!」

参謀が立ち上がって叫んだとたん、土屋は左右から両腕を摑まれた。衛兵の銃剣が背中に押し当てられた。

「何をするのですか」

「やむをえない。そこまでの主張をする以上、弥勒丸が出港するまで貴官を営倉に入れておくほかはない。悪く思うな」

参謀が命ずると、衛兵は強い力で土屋を会議室から引き立てた。

「板垣閣下! 支店長! だめだ、これはだめだ。弥勒丸は攻撃される。沈められる!」

廊下に引き出されたとたん、土屋は銃の床尾で体じゅうを殴打《おうだ》された。屈強な衛兵たちの顔は、人形のような無表情だった。

無抵抗のまま体に痛みも感じなくなった土屋の脳裏に、島崎百合子の顔ばかりが思いうかんだ。

乗るな、と土屋は心に念じた。

乗ってはいけない。欺《だま》されるな。弥勒丸に乗ってはならない。生きてくれ――。

時のたつほどに、村山留次の胸に真黒な不安が拡がった。

はじめは、土屋少佐さえ来てくれれば、身の潔白はすぐに証明できるのだとたかをくくっていた。しかし緊張した憲兵たちの表情を見ているうちに、自信が少しずつ揺らいできた。戦から取り残されたこの平和な町が、実は特殊な狂気に支配されているような気がしてきたのだった。

「島崎看護婦は？」

と、留次は心細さに耐えきれなくなって曹長に訊ねた。

「とっくに帰ったよ。日本人会と病院の看護婦長が身柄を引き受けにきた。おまえのことは心配していたがな」

胸苦しい気分になった。なぜ自分だけが疑われるのだろう。

「……帰ったのですか」

「誰もおまえのことは知らなかった。いくらあの看護婦が心配したところで、おまえの潔白を証明したことにはならん。なにしろ教会の牧師が敵のスパイだったのだからな」

「自分はあの牧師など知りません」

「スパイはみな同じことを言う。おまえがロシア語でスパイたちと話し合っていたのは事実だ。茶を飲みながらずいぶん長い間話していたそうじゃないか。妙に親しげな様子だったと、支那人の阿媽が言っていた」

こいつらはどうかしている。疑っているのではなく、はなから自分をスパイだと決めつけている。きっと戦から取り残されたこの町の軍人たちは、心の中で勝手に戦をしているのだろう。

伝令が戻ってきた。

曹長はいったん廊下に出て報告を受け、不穏な表情で留次を振り返った。

「土屋少佐殿は？」

曹長は答えるかわりに、机に向かって書類を拡げる軍曹に目配せを送った。と、軍曹はひきだしから手錠を取り出して立ち上がった。

「土屋少佐殿は……」

「あいにくだったな。土屋少佐は機密漏洩の嫌疑で逮捕されたよ」

「そんな、ばかな。少佐殿は特務機関員です」

「スパイと通じておったのだろう。ラッフルズの会議室で捕まった。何でも偽物の陸軍少佐で、正体はクアラルンプール在住の民間人だそうだ」

いったい何が起こったというのだろう。大変な事件に巻きこまれてしまった。――留次は頭の中が真白になって、何も考えられなくなった。

抵抗する気力もなかった。襟首を摑まれて乱暴に引き倒され、手錠がかけられた。

「自分は、弥勒丸の見習船員です。父は帝国郵船の経理課に――」

「詳しい話はおいおい聞く。立て」

兵隊に両脇をかためられて留次は引き立てられた。

弁解の声はすべて咽元で凍りついてしまった。

抱擁

その夜、軽部順一は月あかりの中で、思うさまに律子を抱いた。

理由は何もなかった。理屈も思いうかばなかった。くちづけをかわしながら眼下の入海《いりうみ》を行く満艦飾《まんかんしょく》の船を見たとたん、軽部のうちで長いことこらえ続けていた感情が、音を立ててはじけ飛んだのだった。

律子を抱きかかえてベッドに倒れ伏すと、飢えた少年のように衣服をはぎ取った。この女を愛し続けていたのだと軽部は思った。

十五年の暮らしは幻想だったのかもしれない。これこそが幸福なのだと、まるで呪文《じゅもん》を唱えるように自ら言いきかせてきたのだろう。

何ひとつ欠けるもののなかった生活を、さしたる理由もなく捨ててしまったのは、少なくとも男の煩悩《ぼんのう》ではなかった。呪文の効力が途切れた一瞬、まやかしの幸福に気付いたのだ。

十五年前に捨てた女への愛のためだとは思いたくなかった。しかし律子の体を胸の中に抱き取ったとき、軽部はおのれの愚かしさを思い知った。十五年の間、ただひとつしかない真実を偽り続けてきたのだとはっきり思った。

律子は軽部の身勝手な愛に、全身で応えてくれた。

「ねえ、順ちゃん――」枕に俯せたまま、乱れた髪の中で律子は言った。

「私、変な感じがした」

「変な感じ、って？」

律子は少女のような笑い方をした。少しも衰えぬ体の線が、窓辺の月光に隈取《くまど》られている。

「笑わないでよ」

「ああ。笑わないさ」

「あのね――私ずっと、ジグソーパズルをしてた」

「ジグソーパズル？……何だよ、それ」

問い返すそばから、意味がわかった。説明を聞きたくはなかった。

「いろいろな男の人と付き合って、セックスをするたびにいつも思ったの。これもちがう、やっぱりちがう、って」

軽部はふと、再会した夜に訪れた律子の部屋の様子を思い出した。

別れたころと何ひとつ変わっていなかった部屋。黄ばんだクロス貼りの壁に、ヨーロッパの街を描いた大きなジグソーパズルが架かっていた。

「どんなにすてきな人でも、ぴったりと合わさらない。体にも心にもすきまがあった。それに気が付くと、何もかもが合わなくなって、結局は別れちゃった。みんな、なぜだって訊いたわ。そりゃそうよね、いつだって別れる理由はなかったんだから」

「遊びだったのか、みんな」

ノー、と律子は髪を上げて、指を振った。

「私はそんなにはすっぱな女じゃない。いつだって抱かれてから愛したわけじゃないわ。愛した人に抱かれた」

「それは大したものだ。いかにも君らしい」

「でも、それって辛いわよ。愛したことは確かなんだから。愛しているのに、どこかちがう。心も体も、すきまだらけ」

「そういうすきまは、愛し合いながら埋めて行くものじゃないのかな」

律子はもういちど目の前で指を振った。

「はじめのうちは努力したわ。でも、相性というやつは生まれついてのもので、どうにもならないの。ジグソーパズルをむりやり作るようなものだった」

言葉にならぬ自分の胸のうちを、律子はすべて代弁してくれている。愕きながらも、軽部は苦笑せずにはいられなかった。

「この前、新宿のホテルで一緒に寝たときね、私、こわくて仕方がなかったの。もし私とぴ

った り合う世界でただひとつのピースがあなただったら、どうしようと思って」

「世界でただひとつ、か。大げさだね」

「いえ。ちっともオーバーじゃないわ。ひとりでジグソーパズルを作りながら考えてたもの。何百のピースが目の前にあっても、ぴったりと合うのはひとつだけ」

「それが僕だったらどうしよう、というわけか」

「そう。ずっと昔に、いったん手に取ったんだけれど、どこか手の届かないところに飛ばしてしまった一個。もしそれが正解だったら、私は十五年もかけて無駄なことばかりしていたことになるから」

「無駄じゃないさ」

と、軽部は律子の顔を抱き寄せた。愛を説明するために、これだけの理屈をこねなければ気が済まぬ女が、愛おしくてならなかった。

「なあ、リッちゃん——」身勝手な願望を、どう言葉にすればいいのだろう。

「ものすごく勝手だとは思うけど、いちおうお願いしてみる」

「はい、何でしょう」

「もういちど、僕と愛し合ってくれないか」

きょとんと大きな目を見開き、しばらく考えるふうをしてから律子は答えた。

「愛するのはあなたの勝手よ。私の知ったこっちゃないわ」

言ったとたんに、月あかりを背にした肩が慄え出した。もう理屈は言わないで欲しいと軽部は思った。

「弥勒丸が――」

美しい船の名を口にして、律子は声を詰まらせた。

「私を救ってくれた。冷たい海の底に沈んでしまったあの船が、私をあなたの胸に運んでくれた」

二人にとって、これは奇蹟なのだろうと軽部は思った。少なくともこの事件に巻きこまれなければ、たがいの胸に秘めた真実が晒《さら》け出されることは、永久になかったはずだ。

闇を貫いて、突然電話が鳴った。

テーブルに置かれた携帯電話ではなく、ベッドサイドの電話だ。受話器を取る前に、軽部は時計を見た。午前二時。電話は非常を感じさせた。

いきなり低いしわがれた声が耳に飛びこんだ。

〈リメイクはお済みになりましたかね、軽部社長――〉

宋英明の声だった。

「誰？」

と、律子が半身を起こしてわずかに唇を動かした。

「リメイク、とは？」

宋は甲高い笑い声をたてた。

〈リメイク・ラブ。そんな英語はありませんかな〉

律子が受話器に頰を当てた。

「冗談が過ぎますね、宋さん。どうしてそんなことをおっしゃるのですか」

〈あなたがたのことはみなわかっています。ともかく順一さんと律子さんのリメイク・ラブを祝福いたしましょう。乾杯〉

受話器の向こうで咽が鳴った。

軽部と律子は同時に窓を見た。入海に船の影はない。遥かに遠いベイ・エリアのビルのどこかからスコープを覗いているとしても、灯りを消したホテルの部屋の様子がわかるはずはあるまい。

〈ところで、軽部社長。私はあなたたちに、心からお礼を言わねばならない。ありがとう〉

「そう言われても返す言葉はありませんね。大磯と連絡がついたのですか」

〈ともかく、すべては軽部さん、あなたのお力です。天は私の最後の願いを聞き届けてくれた。あなたは奇蹟を起こしてくれた。いや、おそらく、あなたと久光律子女史のお力です。ありがとうと恋人にもお伝え下さい〉

「ちょっと待ってくれ」

軽部は宋を呼び止めた。

〈もうあなたのお務めはおしまい。弥勒丸は引き揚げられます。だからもう連絡はしません。ああ、それから――〉と、宋英明は受話器の中で太い溜息をついた。

〈それから、もうご安心なさいな。私どもがあなたがたに危害を加えるようなことは金輪際《こんりんざい》ありません。ご協力いただいたお礼は、日比野専務とあなたと久光律子さんの銀行口座に、明日にでも振り込んでおきます。お受け取り下さい〉

「お礼？　そんな約束はしていませんよ」

〈日本ふうに言うのなら、ほんの気持ち。それぞれの口座に一億円ずつ。ご不満でしたらおっしゃって下さいな〉

「いや……」

〈では、お幸せに。再見《ツァイチェン》。さようなら〉

電話はそれきり切れた。

呆然とする軽部の背を叩いて、律子がはね起きた。

「仕度をして、順ちゃん。宋に会いに行くわ」律子はベッドから飛びおりると、あわただしく下着をつけた。

「何してるの、順ちゃん。早く着替えて」

「どうしたんだよ、いったい。宋に会うって、居場所がわかるのか」

「わかるわ。教えてくれたようなものじゃないの」律子はバスルームに入って髪を梳《す》き始めた。

「ともかく、このままじゃいやよ。宋英明が誰なのか、何のためにこんなことをしたのか私は知りたい。このチャンスを逃がしたら、一生後悔するわ」

わけもわからずに軽部はベッドからおりた。宋英明が居場所を教えた。――律子の言う意味はさっぱりわからなかった。

ルージュだけをさして、律子はバスルームから出てきた。

「今の電話、フロントを通ってないでしょう。あなたの受け応えでわかったわ」

ひやりとして、軽部は天井を見上げた。宋英明からの電話はたしかにフロントが取り次いだわけではない。直接この部屋にかかってきた。

律子は受話器を取った。フロントのナンバーを押す。

「申しわけありません。エグゼクティブ・フロアに滞在中の取引先から、つい今しがた内線電話で呼び出されたんですけど、うっかりルーム・ナンバーを忘れてしまって。はい、二、三分ほど前です――」律子は上目づかいに軽部を睨みながら、ボールペンを握った。

「行きましょう、順ちゃん。彼は私たちを待っている」

そうかもしれないと軽部は思った。ずっと監視されていたのだ。そして同じホテルの部屋から内線電話をかけてきたのは、お礼の言葉にこと寄せて所在を知らせているのにちがいない。

「おしゃれな人ね。私たちを呼び出したつもりよ」

ドアを開く前に、軽部は律子の背中を抱きしめた。

「さっき君を抱いたのは、夢かな——」

首だけ振り向けて軽く唇を重ね、律子は答えた。

「どうして？」

「ちょっとそんな気がしたんだ」

「たくましい牝《めす》は、嫌いですか」

「それも悪くはないね。いや、とても魅力的だ」

「もうちょっと早くに、その言葉を聞きたかったわ」

二人は真夜中の廊下に出た。

宋英明は何を語りたいのだろう。使命をおえた二人に、彼は何かを伝えようとしている。ひそやかに、恥ずかしげに。

たぶんそれは、男の愚痴だ。

十三階のエグゼクティブ・フロアには、ブラック・スーツを着たコンシェルジュが二人を待っていた。

「軽部順一様と久光律子様、ですね。ミスター・宋《スン》がお待ちかねです。どうぞ」

コンシェルジュは長身をかがめて廊下の端を歩き出した。象牙色の壁と天井が、宋英明の待つスイートルームまでの距離をひどく長く感じさせた。まるで重力も気圧も違う異界を歩くようだった。

「ずいぶん手回しのよろしいこと。私たちがすぐにやってくるのがわかっていたのね」

宋英明は律子の聡明さをも正確に知っていたことになる。もし電話を軽部ひとりで受けたとしたら、あるいは日比野義政との二人きりだったとしたら、突然の連絡が内線電話だとは気付かなかったろう。

コンシェルジュとの間合いをとりながら、軽部は囁いた。

「リッちゃん――もしかしたら宋は、初めから俺たちではなく、君を動かすつもりじゃなかったのかな」

「まさか」

「しかし、少なくとも君がいなければ九洋物産の篠田は動かなかったんじゃないか。篠田郁磨と山岸会長が本気になって初めて、小笠原太郎は決心をした」

歩度を緩めて、律子は考えるふうをした。

「たしかにそうだけど、でも私の力では逆に山岸さんが動かせない。やはり私たち二人がいて初めて、小笠原さんは決心したことになる」

「だとすると――」

軽部は鳥肌立った。この壮大な計画は、二人が恋に陥ちた十五年前から周到に用意されていたような気がしたのだ。

「考えすぎない方がいいわよ、順ちゃん。頭が変になるわ」

軽部の想像を見透すように律子は言った。

「私は偶然だと思う。第一、私がけさ数寄屋橋で土屋和夫さんに出会ったのは、まちがいなく偶然だわ。そして同じ日に、あなたは高松議員に会った。その結果、半世紀ぶりに高松さんと土屋さんはめぐり合った。そのうえに、日比野さんが土屋さんの主宰する施設の出身だった。こんなこと、神様じゃなければ仕組めるはずはない」

神々の計画。たしかにこの偶然を証明する解答は、それしかあるまい。

一三二〇号室は廊下の突き当たりにあった。白い両開きの扉が細く開いていた。

「失礼いたします。軽部様と久光様がおいでになりました」

「どうぞ、お入りなさい」

甲高い宋英明の声が奥から聴こえた。

扉を開ける。小部屋を隔てたゲスト・ルームのシャンデリアの下に、藍色の中国服を着た宋英明が膝を組んで座っていた。二人の姿を認めると、宋はサングラスの目元に皺《しわ》を寄せて、にっこりと笑った。

「ようこそ。お待ちしてましたよ」

広い部屋である。

老人の背後には、品川からレインボーブリッジに至るまでのおよそ百八十度の夜景が開けていた。ちょうど中国服の肩の上に、銀座の灯が盛られている。

宋英明の他には誰もいない。

「おひとりですか」

軽部はゲストルームに入るなり訊ねた。

「はい。秘書官もボディーガードも、遠慮してもらいました」

「なぜ」

宋英明は組んでいた膝をおろすと、椅子から立ち上がった。

「プライベートにあなたがたをお呼びしたから。もう仕事は終わった。私も、あなた方もね。——ドアを閉めて下さい。大丈夫、もう仕事はすべて終わりました」

後ろ手にドアを閉めて、律子が訊ねた。

「プライベート、ですか。それは、種明かしをして下さるということ?」

「種明かしねえ……好《ハオ》。いいでしょう」

宋英明はむしろ楽しげに、二人に向かって人差指を振った。

「まず、私たちを選んだ理由が知りたい」

と、軽部は立ったまま訊ねた。

「対《トェ》。それは簡単です。小笠原太郎が動かなければ弥勒丸のサルベージは不可能。彼は今や日本で最大のフィクサーね。そして彼を動かすことができるのは、九洋物産の篠田相談役と共道会の山岸会長。でもみんなちょっとやそっとでは動かない。日本人の年寄り、権威的です。危険なことはしない。たとえ義務であっても、しようとしない。だから私は——」

宋英明はいくらか声を絞った。しかし悪びれるふうはない。

「だから、篠田の部下の大月、山岸の部下のあなた、もうひとり、どうしても必要な高松議員の秘書の永井、この三人のうち二人までは殺すの仕方ないと思った。二人を殺せばあとの一人は必死になるから」

「ひどいわ」

と、律子が呟いた。

「ひどい。たしかにひどいです。でも日本国は二千人を殺しましたよ。それでも知らん顔。大金持ちになって、みんなが世界旅行に行って、おいしいものたらふく食べて、八十まで長生きして、それでも知らん顔。私はね、軽部さん——」

そこで突然、宋英明は甲高い声を張り上げながら、痩せた体を捻《ね》じって窓の外の夜景を指さした。

「私はね、二人どころか、一億二千万人を殺してもいいと思った。日本国は五十年前に、それくらいひどいことをした。台湾海峡に沈む二千人の重みはね、一億二千万人の命よりずっと重い。私は五十年間、訴え続けた。でも、梨のつぶてよ。みんな今日のこと、明日のことしか考えない。そんな日本人、皆殺しにしてもいいと思った」

「梨のつぶて、ですか……」

軽部は初めて興奮をあらわにした宋英明を見据えた。

「そう。どう訴えても、説得しようとしても梨のつぶて。肯きながら、いずれ、いずれ。政治家も実業家も、みな同じだった。話を聞きつけてやってきたのは、大陸と米軍だけね。でもそれは断わった。彼らにやらせるわけにはいかない」

「なぜ」

「彼らは黄金が目あてだから。私が言っているのは、そんなものじゃない。日本人の手で罪をあがなってほしい。私が説いたのは、それだけ」

「ちょっと待って下さい、宋さん」

律子が進み出た。胸を合わせるように宋英明に向き合い、サングラスをかけた顔を睨み上げながら、律子はきっぱりと言った。

「あなた、日本人ですね」

宋は答えようとしなかった。

「そこまでおしゃべりをすれば、誰だってわかるわ。梨のつぶて、ですか——誤解のないように言っておきますけど、私はあなたを非難しない。いえ、尊敬しました。おそらくあなたの世代の人間に心からの敬意を抱いたのは今が初めてです」

「光栄ですな、それは……」

「メガネを、はずしていただけますか」

宋英明は言われるままに、藤色の丸いサングラスをはずした。右の眉から頬骨にかけて、むかでの這《は》うような古傷があり、瞼が醜くひきつれていた。そして、茫洋《ぼうよう》と見開かれた瞳は、目の前の律子の顔を捉えてはいなかった。

「目が、ご不自由なのですか」

「はい。右目は漂流中に失いました。左目も重油にやられて、齢とともにほとんど視力がなくなりました。でも、いくらかは見えます。美しい方ですね、あなたは」

「弥勒丸を、見ることができますか」

宋英明の見えぬ目に、弥勒丸の名を聞いたとたん涙が溢れた。

「はい。必ずこの目で見ます。そのためだけに、生きてきたのですからね」

宋は中国服の長い袖をからげて、痩せた手を抜き出した。しっかりと律子の顔を両の掌で被い、美しい形を確かめるように拇指《おやゆび》で瞼と鼻梁《びりょう》とをなぞった。

「ふしぎですね、久光さん。あなたはあの戦など知らないはずなのに――」

なすがままに、律子は目を閉じた。

「何も、知りません。でもいろいろな話をお聞きしました」

「もう少し、私の話も聞いていただけますか。あなたの恋人と一緒に」

「よろしければ」

宋英明は律子を抱き寄せると、声を慄わせて嘆いた。

「あなたは、弥勒丸ですね。美しく、誇り高い、弥勒丸ですね」

宋英明と律子の抱擁を、軽部はぼんやりと見つめた。


高松少尉候補生が探しあぐねた上官を見つけたのは、シンガポール川の河口にかかるカベナ橋の上だった。

小笠原大佐は従兵のひとりも連れず、まるで行き昏《く》れた子供のように、ぼんやりと橋の欄《らん》干《かん》に寄りかかって海を見ていた。たそがれのマリーナ・ベイに向かって、生ぬるい風が吹き抜けていた。

「機関長――」

大変です、と言いかけて高松は声を呑んだ。小笠原大佐がきょう一日、どこで何をしていたのかは知らない。しかしその後ろ姿には、やるべきことをやり尽くしてしまったような虚脱感があった。

「やあ。どうした」

と、大佐は厚いメガネを高松に振り向けて、温顔《おんがん》をほころばせた。

「土屋少佐が……」聞くまでもなく、小笠原は深い溜息をついて肩を落とした。

「ご存じだったのですか」

「ああ。さきほどまで、船舶輸送司令部にいた。土屋の件は参謀長から聞いたよ」

「何とかしなければ。土屋少佐にはスパイの嫌疑がかかっています」

「スパイ？　――まさか」

小笠原はすいさしの煙草を川面に投げ捨てた。

「安心しろ。危害を加えられることはない。何日か営倉に入れられるだけだ」

何日か――それは弥勒丸が再び入港し、黄金と二千人の民間人を満載して出て行くまでの何日か、という意味なのだろう。

高松は返す言葉も忘れて立ちすくんだ。

「私も、できるだけのことはしたつもりだ。しかし、こうして陸軍大佐の軍服は着ていても、しょせんは文民に過ぎん。特務機関の任務は物資の集積と、乗員名簿の作成でしかないそうだ」

「軍司令官閣下には？」

「むろんかけ合ったよ。馬鹿者と怒鳴られて、やむなく船舶輸送司令部に行った。つまり、この件はもう私の手には負えない。どうにもならんのだ」

小笠原の顔は土気色で、声は力なくしわがれていた。できる限りの説得は試みたのだろう。おそらく方面軍司令部でも船舶輸送司令部でも、文民が口を挟むことではないとはねつけられたにちがいなかった。

「ほかに、打つ手はないのですか」

「それを考えていたんだ」

小笠原は高松を手招いた。欄干《らんかん》に肘を置いて軍服の肩を抱く。

「いいかね、高松候補生。歩きながらずっと考えて、今ここでようやく思いついた。残る手だてはこれしかない」

高松の肩を力強く握り、小笠原は声を絞った。

「弥勒丸が入港したら、直接船長と航海士に事実を伝えよう」

マリーナ・ベイに夕昏れがやってきた。落日が輝きを失ったとたん、まるで幕を引くように空の色が翳《かげ》った。

「なぜ、何のために弥勒丸は安導券を保障された航路を変更するのですか」

疑問を口にしてしまってから、高松貞彦は答えを聞きたくないと思った。

「それは、だな——」と、小笠原はしばらく口ごもった。

「それは……積載した機密物資を、どうしても上海に運ばねばならんからだよ。すみやかにそうしなければ……」

「わかりました、大佐。もう、けっこうです」

小笠原はふしぎそうに高松を見た。何がわかったわけではない。しかしどうしてもその先を聞く勇気はなかった。

「ともかく、そうしなければならんのですね。二千人の帰還者の命を楯に使ってでも、そうしなければならないのですね。だとしたら、これは仕方がない。いたしかたのないことです」

高松は自分に言い聞かせたつもりだった。しかし、小笠原は「いいや」と顎を振った。

「それはちがう」

「なぜちがうのですか。戦のためには、どうしても必要な任務なのでしょう。だから弥勒丸は――」

「ちがう」と、小笠原はメガネの奥の目をきつくつむり、吐き棄てるように言った。

「もう、何をしようが日本は敗ける。今さら支那の経済を救って何になる。そんなものは戦況とは何の関係もない。緒戦《しょせん》の第一打撃で有利な講和に持ちこまぬ限り、日本は敗けると決まっていたのだ。そんなことは、開戦の何ヵ月も前に、昭和十六年の夏に、もうわかっていたのだ」

「機関長、何ということを」

「よく考えてみろ。君も海軍の軍人ならばわかるだろう。ましてや恩賜《おんし》の短剣のかわりに、目録の紙きれしかもらわなかった君ならわかるだろう。本土決戦とは何だ。一億玉砕とは何だ。それは、国があとかたもなく滅びるということではないのか」

　高松は小笠原の腕をふりほどき、胸板を殴りつけるようにつき放した。怒鳴り返そうとしたとたん、声は咽元で凍りついた。

「機関長……」

　決して軍人のものではない悲しい官吏の目で、小笠原は高松を見つめていた。正視できずに、高松は急激にたそがれるマリーナ・ベイを見た。

「自分に、やらせて下さい。弥勒丸が入港したなら、自分が船長に会います。海軍士官のはしくれである自分の口から言うべきことです。お願いします」

　しばらく考えてから、小笠原はふりしぼるように声をひそめた。

「むずかしいぞ」

「当たって砕けろです。どうか詳しいことをお聞かせ下さい」

　カベナ橋を渡り、港に面した公園を歩きながら、高松貞彦は小笠原の話を聞いた。

　熱帯の樹木が繁るたそがれの公園は美しかった。ところどころに昭南防衛隊の歩哨が立っている。

「ここは港が丸見えだからね」

　軽く手を挙げて歩哨の敬礼をかわし、小笠原は言った。

　公園の対岸はクリフォード桟橋である。河口を少しさかのぼれば、機密物資を集積してあるというクラーク・キーで、周辺の沿岸はすべて一般人の立入りが禁じられているとはいうものの、あまりに広い。

「すばらしい港ですが、軍港としては適しません」

「そう。これでは機密保持も何も、あったものじゃない。ほとんど三百六十度、すべてが見える」

高松はクラーク・キーで物資を満載した内火艇が、ぞろぞろとシンガポール川を下り、マリーナ・ベイに出て、クリフォード桟橋に向かう様子を想像した。沿岸に何千人の歩哨が立っていようが意味はあるまい。それはまるで大じかけの舞台のように、双眼鏡が一台あればどこからでも手に取るように見える。

「スパイがどうのと言ったところで、この町ではどうしようもないのだよ。もともとここでは、すべてが自由なんだ。肌の色も言葉もちがう人々が、自由に平和に暮らせるよう、初めから考えて作ってある。防諜などという文句とは無縁の港だ」

ようやく熱を奪われた風が、椰子の葉をそよがせて吹き過ぎた。

ここが日本の軍港であれば、軍の作戦は誰にも悟られることなく進んだのだろう。戦の裏側では、自分の与《あずか》り知らぬことがどれほど起こっているのだろうと高松は思った。

「ともかく、帰還者名簿は作らねばならない。辛い任務だが、最後までやりとげてくれ」

疲れ果てた小笠原機関長は軍人には見えなかった。この人の正体は知らない。高級官吏ではあるらしいが、おそらく平時の役所に戻れば、信頼に足る上司だろうと思う。

「土屋君から、ソフィア・ロードの混血児施設の件は、聞いているかね」

「いいえ」と答えてから、高松はふと思い当たった。土屋和夫は帰国志願者の列の中から、混血児を引きずり出し、異常なほどの怒りをあらわにして、日本の船に混血児など乗せるわけにはいかんと怒鳴っていた。

「実は朝がた――」

と、高松はありのままを小笠原に伝えた。温和な土屋和夫はあの間だけ、どこから見ても非情な帝国軍人だった。

「土屋君の行動には、理由があるのだよ。彼は思慮深い男だ」

高松は黙って小笠原の話を聞いた。

「彼は日銀の人間なのだがね、物資をあちこちから集めるのには必要な人材だった。いわば乗船者名簿の作成は、ついでの仕事に過ぎない。彼にはそこまでやらせるべきではなかったな」

小笠原は話しながら、いかにも悔いるように顔をしかめた。

「混血児たちを連れて、日本人の看護婦がいなかったかね」

土屋がまっさきに叱りつけた看護婦のことだろうか。背の高い、美しい女だった。

「はい。そういえば――」

「その人はね、土屋君の許婚なのだよ。彼を追ってマレーまでやってきた」

高松は愕きながらも、ふしぎな気分になった。まるでロマンチックな外国映画のような話だ。

「土屋少佐を追って？」

「そうだ。物語ではないよ。神が二人を引き合わせてくれたのだろうね。この町で、二人はまったく偶然に出会ったんだ」

何という皮肉だろう。そのさきを読み解くことは容易だった。恋人たちを戦場のただなかのこの町で引き合わせたのが神の仕業《しわざ》だとしたら、それは何といたずらな神様だろう。

「当初、われわれは弥勒丸を安全な船だと信じていた。たとえ機密物資を積んでいたとしても、航路をはずれぬ限り、弥勒丸は安全に内地に戻る。だから、彼女と彼女が保護する混血児たちを、何とかして弥勒丸に乗せようとした」

「なぜ混血児たちを？」

小笠原はちらりと高松を振り返って苦笑した。

「君は、平和な時代を知らんね」

いやな言い方だが、たしかだろうと思う。大正十四年の生まれの自分は、日本が世界の一員であった平和な世の中を知らない。

「私や土屋君は知っている。だからあの子供らを戦で殺してはならないと思った。それは日本の良心だと思った」

「しかし、機関長。今や安全な場所は内地ではありません。むしろ、ここです」

「その通り。だが、陸軍はそうは言っていない。昭南は決戦場になるのだと喧伝した。われわれもその噂を信じ切っていたんだ」

「それで、あの看護婦と混血児たちを――」

「われわれがとまどっている間に、彼女はしびれを切らせて申し込みに来てしまったということだろう。そこで土屋君はあわてて追い返した。混血児など乗せるわけにはいかん、とでも言ったのだろうな」

冷静な土屋和夫が、業《ごう》を煮やして会議室に乗りこんだわけがわかった。

「で、看護婦と子供らは？」

そこで小笠原は、昏れかかる空に向かって大きく息をついた。

「日本人会が、手を回してしまった。島崎看護婦と子供らの名は、すでに帰還者名簿に記載されている」

半地下の天窓から射し入る月光の中で、少年は長いこと坊主頭を下げていた。

純白の海軍事業服の袖が、ぴんと伸ばした指先まで隠している。

「宮城《きゅうじょう》遥拝《ようはい》なら朝にするものだ。もう寝ろ」

土屋は寝台に仰向いたまま言った。

「遥拝ではありません。父母に就寝の挨拶をしていました」

少年と言葉を交わしたのはそれが初めてだった。土屋が憲兵隊の地下営倉に入れられると、じきに放りこまれてきたのだが、少年は土屋の顔を見たなり黙りこくってしまった。島崎百合子の安否を訊ねても、石のように口を閉ざして答えようとはしなかった。

少年は壁ぎわの小さな寝台に潜りこんだ。

「ずいぶんいい躾《しつけ》だな。営倉に放りこまれても、国のおやじとおふくろにおやすみなさい、か」

「弥勒丸の習慣です」土屋は少年が弥勒丸の見習水夫であることを今さらのように思い出した。

「軍人に命ぜられてするわけではありません。弥勒丸では朝と晩にホイッスルを鳴らして、乗組員全員が同じことをします」

美しい客船の艦橋《ブリッジ》や甲板や機関室で、船員たちが郷里の父母に向かってホイッスルを合図に頭を垂れる様子を、土屋はありありと想像した。もし軍人の命令ではないのだとしたら、それは美しい習慣だ。

「誰が決めたんだ?」

「森田船長です。弥勒丸は世界一の客船なのだから、こういう立派な船の乗組員に育て上げてくれた父と母には感謝をしなければならない、って」

「……そうか。誇り高い船なんだな」

「弥勒丸に比べたら、アメリカのプレジデント号も、カナダのエムプレス号も、おもちゃみたいなものです。軍艦で言うならお召艦と駆逐艦ぐらいちがうって、水夫長が言ってました。だから……」

少年は口ごもった。

「だから、どうした？」

「だから……弥勒丸は攻撃されるはずはないんです。あの船は世界中の海の男たちの宝だから、沈められるはずはないんです」

吐き棄てるようにそう言ったとたん、少年は頭から毛布を被ってしまった。やがて軋むような嗚咽が洩れ始めた。

土屋はぼんやりと、白いペンキを塗りたくった天井を見つめた。

営倉とはいっても、半地下の天窓に急ごしらえの金網が張ってあるきりで、扉は木製である。建物は大学の校舎のような気がする。接収前はこの部屋もきっと研究室か何かだったのだろう。

「土屋少佐殿は、スパイなのですか」

少年がずっと口をきかずにいたのは、その疑いのためなのだろう。土屋は闇の中で苦笑した。

「そんなはずはあるまい。軍は都合の悪い人間をみんなスパイだという」

「だったら、どうしてここにいるのですか」

毛布の中の声は潤んでいた。

「君と同じだよ。あらぬ嫌疑をかけられたのだろう？　だが、そうじゃないんだ。僕や君がスパイなどではないことを、憲兵はよく知っている」

「どうして？」

少年は寝返りをうって、毛布から顔を出した。

「憲兵がどういう理由をつけたかは知らんが、要は君が弥勒丸の乗組員だから拘束したのだ。まさか弥勒丸の乗員が昭南に上陸しているとは思ってもいなかったのだろう。ましてや僕の知り合いだとなれば――」

話しながら土屋和夫は、わずかな希望を見出した。百合子が子供らとともに手を尽くして弥勒丸に乗ろうとしたところで、自分との関係が知れれば乗船を拒否されるのではなかろうか。

「そうだ。昭南にはすでに、弥勒丸についてのさまざまの噂が蔓延《まんえん》している。だから、その噂を耳にしているかもしれぬ君が拘束された。弥勒丸の使命について疑問を持つような人間は、誰も乗ることはできない」

土屋は自らに言いきかせた。百合子が混血児たちを救うために頼るべきところは他にいくらでもある。日本人会は理解を示すだろう。従軍看護婦なのだから、日本赤十字を通して談判することも可能だ。だが、自分の名前を口にすれば、まちがいなく百合子は乗船を拒否される。

「でも自分は、敵のスパイに弥勒丸のことをしゃべってしまいました」

「敵のスパイ、だと？」

「はい。もちろんそうとは知らなかったんです。教会の牧師と信者の人がスパイだったたって……」

ソフィアの丘のマレー人牧師のことだろうか。だとすると、付属の施設に勤務していた百合子はいよいよ弥勒丸には乗れまい。

「何をしゃべったんだね」

「よく覚えてないけど、船足とか、エンジンの性能とか、電探や通信のこととか……」

仰向いたまま、土屋は身を固くした。

シンガポールのスパイたちは、弥勒丸のことを調べている。しかも、積荷や任務のことばかりではなく、船の諸元《しょげん》について知ろうとしている。

（沈めるつもりだ――）

土屋は寝台からはね起きた。

敵はすでに弥勒丸の極秘任務を知っている。日本の大陸経営を破綻させるためには、中央儲備《ちょび》銀行を救済するための黄金を、海底に沈めなければならない。

そしておそらく敵は、事件の国際法上の事後処理として、誤爆を主張するつもりだろう。正確な「誤爆」を実行するためには、弥勒丸の諸元を詳細に知ることが必要だ。

「やめろ……」呟いたとたん、やり場のない怒りが土屋の胸を慄わせた。

「やめろ！　やめてくれ！」

土屋和夫は軍袴《ぐんこ》の膝を抱えて自問した。

帝大を出て日本銀行に入行して以来、自分はいったい何をしてきたのだろう。戦をしてきたのだ。軍隊の後を追って、占領地域の経済的支配という戦略目的を達成するために、ずっと戦をしてきたのだ。

北京で、上海で、香港で、クアラルンプールで、そしてこのシンガポールで、自分は支那派遣軍と南方総軍の一兵卒として、戦をしてきたのだ。

植民地支配からの解放。大東亜共栄圏の夢。しかし軍隊が敗れてしまった今となっては、すべて世界侵略の野望にしか過ぎない。

中国の銀行救済とはいったい何だ。

それは手に負えぬほど拡大してしまった戦線を、絶対国防圏の範囲に縮小するということではないのか。そのために友好的なマレーの華僑から金を欺し取って、支那の経済戦線に送りこむのだ。

中央儲備銀行の破綻は、中国経済の崩壊を意味する。それはとりも直さず、日本の大陸経営の崩壊だ。

そして、戦の意味はなくなる。日本が戦をする理由は、何もなくなってしまう。

おそらく敵側にも、自分たちと同じような経済戦部隊が存在するのだろう。フィリピン奪還に際してはマッカーサー軍の後を追ってマニラに入り、たちまち新たな経済的秩序を作り上げる銀行員たち。彼らはやがてシンガポールにもやってくる。日本の大蔵省の吏員《りいん》と、日本銀行の行員の手から支配権を奪い還すために。

敵は必ず、弥勒丸を沈める。

戦を終局に導くためには、多大の犠牲を払う本土決戦よりも、ずっと効率のよい方法にちがいない。

経済が崩壊すれば南京政権が倒れる。五十万の支那派遣軍は何ら大義のない侵略軍となる。この戦の中で唯一優位を保っている彼らに、戦をする理由がなくなる。

マッカーサーやニミッツの経済幕僚たちはみな声を揃えて主張しているのだろう。

弥勒丸を沈めろ、と。

理由はいらない。方法はどうでもよい。外交上の問題は戦が終わったあとで考えればいいのだ。そんな裁判は、敗戦国の戦犯を裁くよりはるかに簡単だ。

ともかく弥勒丸を沈めればこの戦争は終わるのだと、彼らは進言しているにちがいない。そしてその作戦は――経済戦という戦の重大な側面においては、誰が考えても決定的だ。

――少年はいつしか寝台の上に起き上がって、天窓の月を見上げていた。

「土屋少佐殿。昭南はいい町ですね」

「ああ……いいところだよ。とても平和な町だ」

「自分は何だか、日本に帰りたくなくなりました」泣き腫《は》らした瞼をしばたたきながら、少年はぽつりと、まるで目覚めたように呟いた。

「戦争は、いやだ」


ボーイがシャンパンを運んできた。

いくら一流ホテルのエグゼクティブ・フロアだとはいえ、警戒心がなさすぎると軽部順一は思った。

宋英明は壁を伝いながらドアまで歩き、いとも簡単にボーイを導き入れてしまったのだった。日頃の自分ですら、ドアを開けるときには十分な配慮をする。スコープを覗き、ドア・チェーンをかけたまま相手を確認する。

「ボディーガードは、あちらに控えているのですか」

と、軽部は拇指を立て、ゲストルームに続いたドアをさしながら訊ねた。

「いえ。あそこには秘書がひとりだけ。ボディーガードは別の部屋におります。プライベートな話に彼らは必要ないから」

シャンパンをグラスに注ぎおえると、ボーイは部屋から出て行った。後を追うように立ち上がり、軽部はドア・チェーンをかけた。

「これから、あなたのプライベートなお話を？」

と、律子が訊ねた。

「はい。ですからボディーガードは要らない」

「でも、あなたにとってのリスクは同じでしょう？　あなたの命を狙っている連中にしてみれば、話の内容など関係ないもの」

いいえ、と宋英明は中国服の膝を組みかえて微笑んだ。

「私はね、久光さん。人間にはみな、動かしがたい運命があると思っています。神様はちゃんと、説明のつく運命をそれぞれの人間に与えているのですよ。あなたにも、私にも、軽部さんにもね。つまり、弥勒丸が引き揚げられることに決まったいま、少なくともその作業が完了するまで私は死なない。これまではずっとわからなかったから、十分な警戒をしてきましたが、もう大丈夫」

「運命ねえ……」軽部は苦笑した。

「これまではあなた自身、ご自分の運命がわかっていなかったというわけですか」

「そう。弥勒丸の引き揚げのためにね、一生懸命の努力をして、それでも報われぬ運命かもしれなかった。だが小笠原会長がようやくその気になってくれて、引き揚げは決定した。だから私の運命もわかった。私は台湾海峡から引き揚げられる弥勒丸を、この目で確かめます」

わずかに視力の残る左目を、宋英明はいたずらっぽくつむってみせた。

「それは無理なこじつけですよ、宋さん」

と、律子は強い口調で言った。

「こじつけ、とは?」

「あなたは人間の運命なんて信じてはいない。神など信じてはいない。弥勒丸の引き揚げがあなたにとってのライフワークだったから、これでもういつ死んでもいいと思っている。ちがいますか」

言葉を聞き流すように、宋英明は細い指先でグラスをつまんだ。

「どうぞ、乾杯を」

軽部と律子は勧められるままに、シャンパン・グラスを手に取った。

「久光さん。あなたは本当に頭のいい人だ」

「光栄ですわ、ミスター・スン」

「あなたは嘘の通じぬ人ですね。お付き合いをした男性はさぞご苦労なさったことでしょう」

　ぼんやりとした瞳を軽部に向けて、宋英明は笑った。

「たしかに久光さんのおっしゃる通り。私は神も仏も信じてはいない。人間の運命が説明のつくものだなんて、思ってはいませんよ。そう……弥勒丸と共に沈んでしまった二千人の人たち。あの人たちの運命はまったく説明がつかない。だから私は、神が人間に対して何かをしてくれるなんて、これっぽっちも思いません。——ではとりあえず、乾杯」

　三人はグラスをかかげた。

「ミスター・スン。祝福のお言葉を」

　と、律子が微笑んだ。

「中国人の祝杯に、理由は要りません」

「でも、あなたは日本人ですわ」

「——困りましたね。うまい言葉が見つからない」

「栄光のパッセンジャー・シップ、弥勒丸に乾杯、とでも」

「好《ハオ》。それはいい」

　宋英明は深い皺をひいて笑った。それから良く通る、知的な歯切れのいい声で言った。

「栄光のパッセンジャー・シップ、弥勒丸。そして誇り高き海の男たちに、乾杯」

　乾杯、と二人は声を併せた。

シャンパンの泡が、心地よく咽を灼いた。

宋英明はベイ・エリアの光を背にして、瘦せた体をソファに沈めた。中国服の胸に縫いとられた龍の紋様がシャンデリアに輝いた。

軽部は勇気をふるって訊ねた。そうでもしなければ、この疲れ切った老人の体には、もう話を始める力が残っていないように思えたのだ。

「宋さん。あなたは誰ですか」

空のグラスを抱いたまま、宋は風のような声で答えた。

「お察しの通り、私は日本人です。中国人として半世紀を生き、宋英明と名乗って台湾政府の顧問をつとめてきましたが、れっきとした日本男児です。あのころ私が見たことは、誰にもしゃべってはいない。しゃべることはできなかったのですよ。なぜだか、わかりますね」

宋のうつろな瞳は悲しげだった。答えることができずに、軽部と律子は黙って肯いた。

「私は弥勒丸とともに死んだから。幽霊が語ってはいけない。真実は誰にも言えなかった。だから戦後、米軍が開いた軍事法廷にも召喚されるはずはなかった。プライベートにあなたがたをお招きしたのは、誰かに話しておかねば、私の気がすまない。だが、そのためです」

一息ついてから、宋英明は正確な日本語で語り始めた。

シェエラザード

リムスキー・コルサコフの「シェエラザード」という交響組曲をご存じですか。

愛していた妻の不貞により、すべての女性を呪うようになったシャリアール王は、妻に迎えた女を初夜ののちに殺してしまうという誓いをたてた。

しかし、美しく賢い娘シェエラザードは、毎夜その誓いを忘れさせてしまうほどの興味深く面白い話を聞かせ、おのれの命を一日一日と延ばします。そして結局、千一夜をシェエラザードとともに過ごしてしまったシャリアール王は、むごい誓いを捨ててしまう。

そう。あの「アラビアン・ナイト」の物語を、ロシアの作曲家リムスキー・コルサコフは美しい管弦楽曲に仕立て上げたのです。

弥勒丸のことを思い出すとき、その「シェエラザード」の名曲がいつも胸の底を流れていく。

弥勒丸の士官集会所にはアメリカ製の立派な蓄音機があった。ごていねいに、そのスピーカーは船内放送につながっていて、スイッチを切り替えればブリッジから機関室まで船内のすべてに、音楽が流れるしかけになっていたのです。

朝の清掃時間には軍歌がかかります。しかし日が落ちると、あとはきまって「敵性音楽」でした。

弥勒丸の最後の航海には、大本営船舶課の参謀が乗っていまして――ああ、ご存じでしょう。堀勝一という若い陸軍少佐です。

彼はまったく絵に描いたような帝国軍人で、航海に出た当時は船内に掲示された横文字のひとつひとつ、船員たちの使う用語のいちいちにまで文句を言っていたのですが、どういうわけか音楽には理解がありました。

ベニー・グッドマンが好きで、真夜中にひとりでよく聴いていた。

もちろん、こっそりと、ですよ。

ある晩、真夜中に突然船内のスピーカーから「シング・シング」が流れてびっくりした。士官集会所に駆けつけてみると、堀少佐が軍服姿のまま蓄音機の前に座りこんで、指を鳴らしているじゃありませんか。

背後の人の気配に気付いたときの、少佐の顔といったらなかった。とても冷静な、無感情なタイプの人で、のちに弥勒丸が攻撃を受けたときも顔色ひとつ変えなかったのに、あのときばかりは真青になっていた。そりゃそうです。気が付いたら弥勒丸の船員たちが二十人も、後ろに立っていたのですから。

うっかり船内放送用のスイッチを切り忘れていたというわけ。よっぽどジャズが好きだったのでしょうね。

そんなことがあってからは、毎夜士官集会所はコンサート・ホールになりました。もともとはAデッキの上級船客のための談話室だったのですよ、そこは。

ときには一等航海士の笠原さんが、上手にピアノを弾きました。堀少佐と笠原さんは犬猿の仲でしたが、そんなときだけは親友のように見えたものです。

ナホトカで赤十字物資を積んで、日本海を南下していたころでしょうか。私が「シェエラザード」を聴いたのは。

キャビンのスピーカーからその曲が流れてきたとき、とてもふしぎな気分になった。曲名も作曲者も知らなかったのですが、何かこう、心が吸い寄せられるような気持ちでした。

アラビアン・ナイトの物語を聞いているような、といえばたしかにそんな気がします。

私たちの命は明日をも知れなかった。だから夜更けにその曲が聴こえると、ああ今日も一日無事だったと、しみじみ思ったものです。もっとも「シェエラザード」を、千一夜聴くことはできませんでしたが。

のちになって知ったことですが、作曲者のリムスキー・コルサコフという人は、もともと音楽家ではなく、海軍士官だったそうです。帝政ロシア時代の兵学校を出て、軍艦に乗っていたらしい。あの曲が弥勒丸にあれほど似合ったのは、そういうこともあったのでしょう忘れてはいけない、とね。

戦が終わってから、いろいろなことがありました。本心をいえば、私もすべてを忘れたかった。日本人たちと同じようにね。でも、忘れてはいけない。

たとえば、おいしいものを食べたり、女性を愛したり、酒に酔ったりして幸福な気分になったとき、私はいつもこの曲を聴くように心がけました。忘れてはいけない。「シェエラザード」は、平和に緩んだ私の心を引き締めてくれます。忘れてはいけない、とね。

今この部屋にかかっているコンパクト・ディスクは、いったい何代目の「シェエラザード」でしょうかね。

ヘルベルト・フォン・カラヤン指揮のベルリン・フィル。録音はやや古いのですが、絶品ですよ。

あなたがたは弥勒丸について、すでに多くのことをご存じのはずです。

たぶんあの船を知っている人々は、みな口を揃えてほめたたえたことでしょう。弥勒丸はアラビアン・ナイトのシェエラザードのように、美しく、気高く、聡明な女性でした。

彼女は世界中の船乗りの夢。沈めようなどと考えたのは、あるいは沈めてもいいと考えたのは、みな船を知らぬ人間ばかりでしょう。

だから、一番つらい思いをしたのは、弥勒丸に向けて魚雷を撃ちこんだ、潜水艦の乗組員ではないかと思うこともあります。

たぶんご存命の方もおられるでしょうね。でも彼らは生涯忘れないはず。海の男ならば誰もが憧れる太平洋航路のエースを、自らの手で沈めてしまったのですから。

あの夜、嵐の海中を行く潜水艦の中で、どのようなことがあったのかは知りません。しかし、双手《もろて》を挙げて万歳をした兵隊は、一人もいなかったでしょう。彼らは彼らの手で、かけがえのない夢を壊してしまったのですから。

呉鎮守府付の私が弥勒丸に乗船せよという極秘命令を受けたのは、昭和二十年の三月なかばのことでした。

帝国郵船から軍に徴用された弥勒丸が病院船として活躍している噂は知っていましたから、どうしてそれに乗ることが軍機に属する任務なのだろうとふしぎに思ったものです。しかしそんなことよりも、船に乗れるのが嬉しかった。

考えてみれば、病院船の乗組士官ならば操船術が専門である航海科の士官が選ばれるはずなのです。私の兵科は魚雷などを操作する水雷科ですから、命令そのものがそもそも妙だった。もちろん病院船は魚雷など装備してはいないし、国際条約により攻撃を受けることもない。だが、ともかく船に乗れるのが嬉しくて、そうした疑問は口にしなかった。

船に乗って航海に出られるのなら、理由は何でもいいと思ったのです。

私の初陣《ういじん》は昭和十七年のソロモン海戦で、八月から十一月まで続いた日米両海軍の大消耗戦のほとんどに参加しました。その間、士官として乗り組んでいた駆逐艦を撃沈され、漂流中に救助された僚艦もまた撃沈され、さらに根拠地へと戻る途中の輸送船も沈められるという大変な目にあっていた。

まったく奇蹟というほかはありません。三度乗艦を沈められて三度生還した人間など噂にすら聞いたことはなく、しかも海軍兵学校出身の士官なのですから、内地に戻ってからも複雑な気持ちでした。

強運にあやかりたいという者もいれば、生き恥をさらしていると蔭口を叩く者もいる。福の神とも、死神とも呼ばれました。いずれにせよそのような立場の私が、おめおめと鎮守府の陸上勤務についているのは苦痛だった。

そのうえ私の生家は極めつきの海軍一家で、祖父も父も海軍士官、三人兄弟がそろって兵学校。そのことだけでも噂の種になるのです。

終戦も間近のあのころに船に乗ることは、もちろんなかば命を捨てる覚悟は必要でしたけれど。

宇品の桟橋に繋留されていた弥勒丸の雄姿を見たときの感動は今も忘れません。白地に赤十字の病院船ではなく、緑地に白十字という見たこともない艤装には首をひねりましたが、何よりもその姿の美しさに目を奪われました。

排水量は一万七千トンということでしたが、高い吃水のせいか、何倍にも大きく見えたものです。

楼閣《ろうかく》のような五層のデッキ。舷側に整列した円窓。そそり立つ四本のマスト。煙突には帝国郵船の所有を示す紅白三本線のファンネル・マークがあった。

いかにも海運大国日本が威信をかけて建造した豪華客船の趣きでした。そんな立派な船は、もちろんそれまでにも見たためしはなかったし、その後も見たことはない。あの気品と優雅さは、たぶんイギリスのクイーン・エリザベスII世号さえ、足元にも及ばないと思いますよ。

船体の美しさもさることながら、さらに愕くべきは船内の設備と機関でした。舷梯《げんてい》を登って甲板に立ったとたん、立ちすくみましたよ。何でも内装はフランスのマーク・シモン商会に発注したということで、しかも病院船として長い任務についていたにもかかわらず、豪華な装飾がほとんど手つかずのまま保存されていたのです。

のちに船長から聞いた話ですが、さる宮家のお力添えで、特別にそのようなことが認められていたそうです。しかし、べつだん宮様のご助力がなくとも、あの船の姿に手をつけようとする者はいなかったのではないですかね。少なくとも船を知る者なら誰でも、舷梯を登ったとたん私と同じように立ちすくんでしまったはずですから。

船長以下二百名の乗組員はすべて帝国郵船の社員でした。つまり「軍属」として船ごと戦にかり出されたわけです。一度も客船としての航海には出ていないにもかかわらず、船内のしきたりは誇り高い太平洋航路のパッセンジャー・シップそのものでした。

帝国郵船はえぬきの船長である森田新一郎さんの強い意志なのでしょうか、船員たちは挨拶から言葉づかいから物腰から、すべてが民間客船のものだったのです。

ふつうなら私も海軍士官として嫌味のひとつも言うところなのでしょうが、ただただびっくりするばかりで何ひとつ口出しができなかった。そのくらい完璧に、平和な時代のしきたりが保たれていたのです。

ちょっと嬉しい気持ちになってしまった、というのが本音でした。

さすがに運航指揮官の堀少佐は口やかましく言っていましたが、たぶん内心は私と同じだったのではないでしょうか。一等航海士としばしば言い争いになったのも、実は建前《たてまえ》だったような気がします。なにしろ彼は、私のような一海軍士官とはちがい、選び抜かれた大本営参謀でしたからね。

船内を夢見ごこちで案内されながら、どうして私がこの船に乗ることになったのだろうと考えた。

任務は弥勒丸を安全に航行させるための航海士官ということで、そのほかの詳細については何も聞かされてはいない。

目を瞠《みは》るばかりのメイン・ダイニングに立ったとき、はっきりとこう思ったのです。

この船は宝物なのだ。決して沈めてはならない。だから操船技術に秀でた者よりも、度重なる実戦で潜水艦や飛行機の脅威を知りつくしている私が選ばれたのではないか。

そしてもうひとつ——三度乗艦を撃沈されて三度生還した私の強運。

たしかに私は、実戦で培《つちか》ったさまざまの能力を持っていたと思います。もちろん強運は自覚していましたし、正直のところ死ぬ気がしなかった。

シャンデリアが輝く吹き抜け天井を見上げながら誓ったものです。

この船は沈まない、沈めてはならないのだ、とね。

弥勒丸に乗っていた人々について、思い出せるかぎりをお話ししておきましょうか。

まず船長の森田新一郎さん。

細い口髭を生やした、まるで外国映画に出てくるようなロマンス・グレーでした。もちろん士官待遇の軍属ですが、軍服姿は一度も見たことがなかった。いつも帝国郵船の船長服を着ていて、会食のときなどは夜会用の燕尾《えんび》服《ふく》にボウ・タイを締めていましたね。

年齢はおいくつだったのでしょう。戦にならなければそろそろ定年だというような話をしていらしたような気がします。

冷静沈着、いつも笑顔を絶やさずに、背筋がピンと伸びていましたっけ。海軍軍人のそれとはまったく違った海の男の誇りが感じられました。

一等航海士の笠原さん。名前は失念しました。

三十歳ぐらいの熱血漢で、体も大きくて頼りがいがあった。操船技術はすばらしく、呉を出港するときに早くも、ああ私などの出る幕はないなと思ったものです。齢は機関長や水夫長より下でしたが、乗組員たちの信望は厚かった。技術的な信頼もさることながら、器の大きさを感じさせる人でしたね。

商船学校出身の航海士と古株の乗組員との関係は、いわば兵学校出の青年将校と叩き上げの下士官のようなものなのでしょうけれど、この人を悪くいう者は誰もいなかった。私なども艦隊勤務の時分にはずいぶん苦労をさせられた方ですから、笠原さんの偉さはとてもよくわかりました。

機関長の花井六助さんは、船員たちからは「ロクさん」と呼ばれ親しまれていた人なので、顔を合わせる機会は少なかったのですがよく覚えています。

年齢は森田船長と同じほどだったでしょうか。根の生えたように一日中、船底の機関室にたてこもって働いていました。

十五のときに帝国郵船に入社して以来ずっと機関室勤務で、手がけた船は十隻ではきかないと言っていましたっけ。つらがまえも身のこなしも老練な職人そのものでした。

弥勒丸の機関は当時世界最先端のデンマーク製ディーゼルでしてね。私は機関が専門ではないので詳しいことはよくわかりませんでしたが、ともかく大出力を出すわりにはすこぶる振動の少ない、静かなエンジンでした。

機関室は塵《ちり》ひとつ落ちていないほど清潔で、白い海軍事業服を着て機関員を指図しているロクさんは、どことなく神聖な感じがしたものです。そう、たとえて言うなら教会堂の中の司祭のイメージですかね。

ただし、会うたびにくどくどと船の話を聞かされるのには閉口しました。日ごろ声もきこえぬほどやかましい機関室にいるせいでしょうか、話し始めると止まらなかった。食堂や談話室でも、若い船員たちはロクさんがやってくると、そそくさと席を立って逃げ出したものです。

水夫長の高橋さんは目立たぬ人でした。海軍にもよくいるタイプですが、華々しい軍歴があり、知識も経験もたいしたものなのに、目立つことが嫌いな人。

性格が控え目で、そのうえひどい口下手なものですから、ほとんど話をする機会はなかったのですが、顔を合わすたびにいつもにっこりと笑って敬礼をしてくれました。

弥勒丸がただの一度も機関の故障がなく、また豪華客船の美貌《びぼう》を保っていたのは、機関長のロクさんと水夫長の高橋さんのおかげだと思います。

あの二人は心の底から彼女を愛していたのでしょうね。この船を下りればもう仕事をする齢ではないのだから、船乗りとしての最後にこんなべっぴんを嫁にできて幸せだと、二人が同じことを言っていましたっけ。

そう、乗組員の中で思い出ぶかい人といえばシェフの大山さん。船内では「司厨長」と呼ばれていました。飲むシチューではありませんよ。厨房を司《つかさど》る、司厨長です。

この呼称も軍艦ならば「烹炊長《ほうすいちょう》」ですが、やはり客船のならわし通りに「司厨長」でした。大山さんは呼び名ばかりではなく、どこからどう見ても客船のグラン・シェフでしたよ。なにしろ丈の高いシェフ・ハットにダブルボタンの白衣を着て、首にはナフキンのタイを締めていたのですからね。

さすがに他の司厨員は事業服に前掛けでしたが、大山さんはいつもその格好で、それがまた、痩せて背の高い姿にとてもよく似合った。横浜のホテル・ニューグランドの厨房に長くいらして、帝国郵船に引き抜かれたというのですから、よほどの名人だったのでしょう。

弥勒丸の乗員中ただひとりの生存者である中島吾市さんも、ニューグランドのベーカーでした。もともと大山さんの引きで帝国郵船に入社した人ですが、転職早々に弥勒丸ごと徴用されてしまった。

パン焼き職人は外国航路の客船ではきわめて地位が高いのです。ほとんど司厨長と同列と言ってもいいぐらい。だから中島さんは、大山司厨長と同じAデッキの一等キャビンを与えられていました。士官待遇ですな。

戦後まもなくでしたか、生き残りの中島さんがアメリカの軍事法廷に証人として召喚されたという話をききましてね、とても嬉しかった。

二百人の乗組員は一人残らず死んでしまったとばかり思っていたのに、私と最も親しかった中島さんが生きていた。まさしく真暗な闇に一条の光が射したような気がしましたよ。そうですか。今もお元気でパン屋さんを……。

ひとめお会いしたい気持ちは山々ですけれど、やめておきましょう。

私は亡霊なのですから。

昭和十六年の九月に長崎の造船所で進水した弥勒丸は、宇品に回航されたあと帝国郵船のドックで客船としての艤装をしたそうです。

開戦前のことですから、もちろん敵の目をあざむくためでしょうね。そのときにはすでに軍に徴用されることが決まっていた。

やがて戦が始まると横須賀軍港に回航され、そこで病院船に塗りかえられた。つまり、宇品から横須賀までのわずか二日間の航海だけ、弥勒丸は黒と白のペイントをかけた客船だったことになります。彼女にご執心《しゅうしん》であられた宮様もわざわざ宇品港までおでましになり、郵船の幹部社員ともども、横須賀までの船旅をなさったそうです。

森田船長の部屋には、そのおりの弥勒丸の雄姿と、宮様を囲んだ乗組員全員の集合写真が飾ってありました。

足かけ四年の間、弥勒丸は海軍の病院船として南方を駆け回り、終戦の年の始めに母港の宇品に戻ります。そして呉の軍港に回航されて、深緑色に白十字の艤装を施された。私が極秘命令を受けたときに見た弥勒丸は、すでにその色でした。

民間の徴用船が陸軍の指揮下に一元化されたのは昭和二十年の四月のことですが、それ以前から船舶運用に関する実権は陸軍に移っていた。十九年六月のマリアナ沖海戦と十月のフィリピン沖海戦の結果、海軍は壊滅状態になってしまっていたのです。

だから弥勒丸の運航指揮官が陸軍将校で、一個小隊の船舶工兵が乗り組んでいたことについても、さして疑問は抱かなかった。問題は、なぜその将校が大本営船舶課の参謀という雲《うん》上人《じょうびと》なのか、ということでした。

大本営参謀といえば、全軍隊を動かす総司令部のスタッフですからね。私たち末端から見れば、直属の司令官よりも威厳がある。そんな人間が乗るのだから、弥勒丸の任務はよほど重大なのだろうと思ったものです。

堀勝一少佐は、とっつきにくい人でした。見た目には陸大出のエリート将校という感じはなかった。むしろ筋骨隆々たる野戦指揮官、ですか。良くも悪しくも神がかりのような陸軍軍人でした。

ただし、戦塵《せんじん》に染まっていないぴかぴかの軍服に参謀懸章《けんしょう》を吊り、シャツの袖にはカフスボタンを付けていて、なるほどこれが大本営参謀というやつか、と思わせる威圧感は十分にありました。

堀少佐は乗船の当初から、唯一の海軍士官である私を牽制《けんせい》するふうがあった。

私は弥勒丸の任務すら知らされていなかったので、乗船早々まっさきにそれを訊ねたところ、「陸軍の機密だ」とはねつけられた。「それでは自分のなすべきこともわからない」と反論すると、「便宜上必要なのだ」と言う。さすがに肚が立って、以来しばらくの間、口もきかなかった。

堀少佐はとっつきにくい上に、言葉の足らない人でしたね。

弥勒丸には一個小隊三十名の陸軍船舶工兵が乗り組んでいたのですが、兵隊たちはみな三十すぎのロートル補充兵で、いかにも根こそぎ動員されたという感じでした。新兵教育も満足に受けていない、員数合わせの兵隊であることは一目瞭然でした。

それらしく見えるのは何人かの兵長と上等兵で、ほかの連中は内火艇《ないかてい》の上げ下ろしすら知らなかった。

ただ、小隊を指揮していた沢地という軍曹だけは筋金入りの船舶工兵でした。何でも長いこと東部ニューギニアの激戦地で大発艇《だいはってい》を操っていたということで、見るからに弾雨《だんう》を潜り抜けてきた歴戦のつわものというふうだった。人間も丸くてユーモアがあり、いつも堀少佐を宥《なだ》めたりすかしたりして、船員側との間を上手に取り持ってくれていました。

宇品を出港してすぐ、まだ瀬戸内海を出ぬうちにロートル補充兵たちの多くは船酔いをしてしまいましてね、あれには正直のところうんざりとしました。こんな連中を三十人も、いったい何のために乗せたのだろう、と。

のちにわかったことですが、彼らはみな東京の連隊区から根こそぎ動員された兵隊で、ふつうの勤め人や店員ばかりだったのですね。私が親しくなった山口という二等兵などは、ぶ厚いメガネをかけた三十八歳の女房子持ちで、安田銀行の行員だった。シャバッ気がまるで抜けきらずに、四人の子供の自慢話ばかりをするのには辟易《へきえき》したものです。

まあ大方がそんな兵隊ばかりなのですから、見張りの役にもたたない。仕方なく彼らはどうでもいい船倉の歩哨にして、警戒要員は船員たちだけで編制しました。

そうした員数合わせのロートルたちでも、ともかく弥勒丸に乗せたのは、陸軍が面子《メンツ》にこだわったからかもしれない。いや、おそらくそうなのでしょう。大本営参謀が運航の指揮をとる陸軍の徴用船なのだから、一個小隊の陸軍の兵隊を乗せねばどうとも格好がつかないというところだったのでしょうか。

だとすると彼らは、陸軍の面子のために落とさずともよい命を捨てたことになる。あの時期に根こそぎ動員された兵隊なら、たいがいは本土決戦準備の塹壕《ざんごう》掘りでもして、何ごともなく終戦を迎えたはずですからね。そう思えば気の毒な人たちです。

ともかく、二百人の乗組員と三十人の船舶工兵を乗せた弥勒丸は、何が何やらわからぬままに日本海を北上した。

私が弥勒丸の極秘任務を知ったのは、ナホトカの沖合に投錨《とうびょう》してからのことでした。森田船長がこっそり命令書の写しを見せてくれたのです。

それまで私は、てっきり不可侵条約を結んでいるソ連から、極秘の兵器か何かを受け取るのだと思っていた。もちろんソ連はドイツと戦っているのですから、それにしたところで妙な話だが、俘虜のための物資を運ぶなどということよりはまだしも現実味がありましたよ。のちになって考えれば、スイスの国際赤十字の仲介で連合軍俘虜のための救援物資が送られるというのは、しごく当然のような気がしますが、大戦末期のあのころには、誰が聞いてもお伽話《とぎばなし》だった。

当時、アジアの日本軍占領地域には十六万人以上の連合国軍の捕虜と抑留市民がいたそうです。日本軍が食うや食わずで戦っているのですから、彼らの待遇は推《お》して知るべし。そこで米国は国際赤十字を通じて救援物資を送ろうとした。収容施設は、香港、サイゴン、シンガポール、スラバヤ、ジャカルタ、ムントクなどで、それぞれにイギリス、アメリカ、フランス、オランダなど連合国の兵士や市民たちが収容されていた。

そもそも日本の軍人には「生きて虜囚《りょしゅう》の辱《はずかし》めを受けず、死して罪禍《ざいか》の汚名を残すこと勿《なか》れ」という戦陣訓のおしえが徹底していたので、捕虜の交換なども一部の抑留市民どうしを除けばまったく成立しえない。つまり、膨大な数の敵捕虜を日本軍は養わなければならなかったのです。当然、日本の劣勢とともに待遇は悪化します。

連合国は何とかして彼らに救援物資を送らねばならないのですが、フィリピンが決戦場となり、近海では海空の大消耗戦がくり拡げられている。そこで考え出された方法が、中立国であるソ連の港に救援物資を集積し、日本の船がそれを運ぶという「美談」でした。

大量の物資を確実に俘虜の手に届ける方法といえば、たしかにそれしかなかった。

森田船長がこっそり見せてくれた書類とは、日本の外務省がスイス公使館を通じて米国政府に打電した「回答書」のようなものであったと思います。

内容はおよそこのようなものでした。

連合国側の要請に基き、「弥勒丸」をナホトカに派遣する。よって連合国各国の政府は、その特徴や標識や航路日程について、それぞれの軍隊に通達し、安全確実に通行させよ――。

しかし――。

弥勒丸はこうした合意に基いた、決して攻撃もされず、臨検も受けぬ船だったのです。

考えてもみて下さい。攻撃も臨検もされぬということは、ついでに何を運んでもわからないということですね。つまり連合国側は、捕虜のための物資を運ぶかわりに、ついでに何を積んでも黙認する、と言ったことになる。ただし一回きりだよ、とね。

おそろしい契約ですよ、これは。

フィリピン失陥で南シナ海の制海権は敵の手中にある。南方軍と内地とを安全に航行できる唯一の船に、いったい何を積むのか。

日本政府と大本営は真剣に考えたにちがいない。しかし私はこう思う。――ミロクマルはいったい何を積むのかと、米国政府もニミッツもマッカーサーも、真剣に考えたにちがいない。

弥勒丸の中での私の立場は微妙でした。宇品を出航してからナホトカに至るまでの間は、乗組員たちとも、たがいに肚の探り合いという感じでほとんど会話もなかった。

しかしそのうち船長や航海士は、私が何も知らずに船に乗り組んだのだということに気付いて、親しく声をかけてくるようになったのです。私は海軍士官であると同時に、彼らと同じ海の男でもあるわけですから、彼らの弥勒丸に対する愛情や、船ごと戦にかり出された不条理はよくわかっていたつもりです。

しかし一方では、堀少佐と同じ帝国軍人でもあるのです。もちろん同世代の将校として、胸のうちに変わりはなかった。だから少佐は、下士官である沢地軍曹以上に、将校である私により親しみを感じているようなところもありました。

航海中に私は少しずつ疑問を口にし、堀参謀も私にだけは知る限りのことを答えてくれた。自分しか知らぬ秘密をひとつひとつ打ち明けるたびに、私に対する表情がやわらいでくるのがよくわかりました。

堀参謀が弥勒丸の使命の肝心な部分を、何ひとつ知らされていなかったのは本当だと思います。彼は大本営参謀という要職にはありましたが、正しくは赤十字物資の輸送にこと寄せた「作戦」の指揮官を命ぜられていたのです。

いわば特殊任務の指揮官である彼が、戦略の全容を知る必要はなかった。堀少佐は与えられた任務だけを全《まっと》うすればよかった。

弥勒丸がいったい何をさせられようとしているのか、その作戦のすべてがわかっていたなら、内容のいかんにかかわらず私たちの心はひとつになっていたと思います。それはそれで、いたしかたのない運命なのですからね。

だが、肝心の堀少佐自身が知らなかった。彼がわかっていたのは、復路にシンガポールで南方総軍の退蔵軍費を積み、ひそかに上海でおろす、ということだけなのです。なぜ軍費の行方が内地ではなく上海なのかは彼にとっても謎だった。乗組員の誰ひとりとして知らぬその謎が、私たちの関係を難しくしてしまっていたのです。

ずっと後になってわかった弥勒丸の使命のすべてを、もし初めから全員が知っていたのなら、おそらく私たちは一蓮托生の仲になっていたと思います。もしかしたら、みんながその任務の完遂に闘志を燃やして、奇蹟を起こしたかもしれない。戦の結果までどうこうはできぬにしろ、弥勒丸は沈まずにすんだのではないかと思うこともあります。

大本営の船舶課になど、もうやるべき仕事は何もないのだと、堀少佐は言っていました。昭和二十年四月のあの時点では、制海権のほとんどが敵の手に奪われていたので、船舶による輸送は局地的にしかできなかったのです。だから現実には大本営が起案する輸送作戦などはありえなかった。

神がかりの陸軍軍人の中にあって、あの人はかなり正確に戦局の判断をしていたのかもしれません。

一等航海士の笠原さんは、弥勒丸の航路についてきわめて神経質になっていました。

ほとんどブリッジに張りついたままで、すぐ真下にある自室にすら戻ろうとはしなかった。海図盤にもたれて居眠りをしている後ろ姿が、今も目にうかびます。

弥勒丸のとった航路の正確さは、おそらく世界中のどんな船乗りにもまねのできないものだったでしょう。比類のない機関性能のせいもありますが、ともかく笠原さんは天候のいかんにかかわらず、弥勒丸を予定の正午位置に毎日ぴたりと運んだ。

そして正確なヌーン・ポジションから、日本語と英語で電文を打ち続けた。赤十字船弥勒丸の現在位置、北緯何度、東経何度、総トン数、船の長さと形状、航海速力、国際呼出信号――。

さらに電文の前後には、必ずこう繰り返します。

「本船ノ特徴、標識、現在位置ハカクノ如シ。米国及ビ連合各国ノ艦船航空機ハ、本船ニ対シ如何ナル攻撃、如何ナル障害ヲモ加ウルベカラズ。本船弥勒丸ハ日本国ノ戦闘艦艇ニアラズ、国際赤十字社ノ要請ニヨリ航行スル船舶ナリ。本船ハ国際条約ニ基ク絶対不可侵ノ安導券ヲ持チタリ」

そんなわけでしたから、門司を出港した翌日でしたか、突然敵の艦載機の攻撃を受けて操舵手が犠牲になったときの笠原さんの怒りはものすごかった。

なぜだ、説明しろ、と怒鳴りながら、堀少佐の胸ぐらを摑み上げたほどでした。

仲に割って入ったものの、私もひどく動揺していた。笠原さんがどれほど神経質に、精密に弥勒丸の安全な航行につくしていたか、私にはよくわかっていましたから。

結局、その事件は敵の新米パイロットの過失か、悪質ないたずらの結果だろうということになりましたが、私は内心そうは思わなかった。威嚇《いかく》だろうという気がしてならなかったのです。

もしかしたら、敵は弥勒丸の極秘任務をすでに察知しており、度を越したまねをすれば沈めるぞ、という意思を、あのような形で示したような気がしてならなかった。

たとえば、こんな暗いメッセージだったのではないでしょうかね。

「捕虜の食料を運んでくれる見返りとして、引揚者や、ゴムやボーキサイトや、多少の弾薬や石油の類いなら目をつむろう。ただし、戦局にかかわるようなものを積めば、国際条約のいかんにかかわらず、沈める。これが戦争の一部分であることを忘れるな――」

その事件があってからというもの、堀少佐はいっそう頑なになってしまった。

おそらく彼は、私と同じようなことを考えたのではないかと思います。復路に積むもののの何であるかを知らない私たちにとって、その仮定は怖ろしかった。敵の情報力の確かさは、私も堀少佐も痛いほど知っていましたから。

シェエラザード。

何と美しく、何と物悲しい曲でしょう。

実は、ナホトカの港で沖積みした赤十字物資の中に、たくさんのレコードが入っていたのです。

八百トンの木箱はもちろんすべての中味を点検しました。ほとんどはアメリカ製の缶詰や携帯食料や、衣料品や毛布といったものでしたが、英語の本や新聞などにまじって、レコードがあったのです。トランスの付いた小型プレーヤーも何台か入っていた。

堀少佐は激怒して、こんな遊び道具まで運ぶ必要はない、没収だということになった。ところがさきにお話ししたように、没収というよりも、それらはAデッキのラウンジに運びこまれて、私たちの無聊《ぶりょう》を慰めることになりました。

たぶん堀少佐も、はなからそのつもりだったのでしょう。

しかし、プレーヤーは使う必要がなかった。弥勒丸の談話室には、平和な時代に銀座のカフェにあったような、最新式の蓄音機が備えてありましたからね。なにしろスピーカーは、ひとつが畳半畳敷ぐらいの大きさがあったのですから、さながらコンサート・ホールですよ。

客船のころの時間割にそって、午後七時に夕食が供される。士官も船員も兵隊も、大きな吹き抜けになったBデッキのメイン・ダイニングルームで食事を共にするのです。なにしろ日本でも指折りのシェフである大山司厨長が腕によりをかけて作る料理ですから、それはそれはおいしかった。

もちろんフランス料理の食材が揃っているわけではありませんがね、大山さんはありあわせの材料で、魔法のように美しくておいしい料理を作り出した。そしてそれらを盛る器も、青い染めつけに金の縁どりをした弥勒丸の食器。ナイフもフォークも銀でした。

まさかボーイが運んできてくれるわけではありませんが、司厨員たちがきちんと盛りつけまでしてくれたものです。

そう。そういえば名前は忘れましたが、司厨員の中に「パントリー」と呼ばれる四十がらみの如才ない男がおりまして、食品材料の手配をしていました。客船の食品管理をする「パントリーマン」が、そのまま乗り組んでいたわけです。

彼は船が寄港するたびに上陸して、どこからどう集めてくるものやら、肉や野菜や新鮮な魚を、しこたま運びこんできた。おそらく彼も、世界中の港を知りつくしている帝国郵船のエキスパートだったのでしょう。

メイン・ダイニングのテーブルには、いつも糊のきいた、真白なテーブル・クロスが掛けられ、誰がそこまでするのか、ナフキンが毎晩ちがった形——王冠や扇や鶴の形に折られて、ひとりひとりの手元に置かれていたものです。誇り高い司厨員たちはそんなふうに、彼らの本来なすべき仕事を続けていたのです。

私が慣れ親しんでいた艦隊生活は、午前五時に起床、八時に軍艦旗を掲揚して一日が始まる。就寝は二十時三十分です。

弥勒丸の日課も、形ばかりは軍隊のそれに準じてはおりましたが、実際は客船の時間割に近かった。たとえば、朝食と昼食の時間は同じだが、夕食は海軍の十六時十五分から三時間ちかくも遅い午後七時。つまり、ディナー・タイムだけは譲れぬ、というわけです。

当然乗組員たちは腹が減る。すると、これも客船の日課どおりに、午後のティー・タイムがあるのです。

午後三時から四時の間、メイン・ダイニングにヤカンに入れた紅茶が置かれ、焼きたてのパンが山盛りにされる。手の空いているものは適宜《てきぎ》、優雅なティー・ブレイクを楽しむというわけです。

こうした習慣はまさか病院船の時代には公然と行われていたはずはありませんが、乗組員たちの間ではひそかに受け継がれていたということで、まあ軍隊への抵抗というより、客船の暮らしを忘れるなという、森田船長の意思の表われではなかったのでしょうか。

豪華な夕食をおえると、乗組員たちはAデッキの先端部にあるラウンジに集まる。酒保《しゅほ》が開かれて、酒も飲めます。気の合った者どうしが金華山織のソファや椅子にくつろいでグラスを傾けるさまは、まさしく夢のような光景でした。

航海の初めのころ、陸軍の兵隊たちにはこの娯楽時間が許されておらず、プロムナードを歩きながら物欲しげにガラスごしのラウンジを覗きこんだりしていたのですが、いつの間にか一人二人と入りこんできて、一緒に楽しむようになりました。

ふしぎなことに、船員たちも兵隊も酔っ払って放歌高吟《こうぎん》したり、もめごとを起こすことがなかった。弥勒丸の船員たちは躾《しつけ》がきびしく、兵隊たちは東京で根こそぎ動員された勤め人だったせいでしょうか、みなとても上品に酒を飲んでいました。

まるでお伽話。いや、神話とでも言った方がいい。

船首に向かって大きく開かれた窓には夜の海が拡がっていた。その海のどこかで、戦争が行われているなどとは、とても信じられなかった。船底のワインセラーからそっと運ばれてくるブランデーやアウスレーゼを飲みながら、いつもそう思ったものでした。

シェエラザード。

海軍士官の経歴をもつリムスキー・コルサコフの名曲は、夜の海を行く弥勒丸のラウンジにぴったりでした。

さきほど、こうした慣習は森田船長の意思だと言いましたが、そうではないのかもしれない。太平洋航路のエース、弥勒丸の意思と言った方が正しい気がします。

なぜなら私も堀少佐も歴戦の沢地軍曹も、まるでうっとりと夢見るように、毎夜そこにいたのですからね。私たちは一人の人間に立ち返って、弥勒丸の胸に抱かれていたのですよ。

ところで——。

ベーカーの中島吾市さんからは、弥勒丸の話をかなりお聞きになっているようですね。

いえ、私と中島さんは全く接触しておりませんよ。今さらおめおめと名乗り出ることなどできるはずはないでしょう。私は自分の存在をひた隠しにして、彼ひとりに軍事裁判や遺族の補償問題やマスコミとの対応を押しつけてしまったのですから。

中島さんは弥勒丸の生存者がこの世にもうひとりいるなどとはつゆ知らず、生き証人としての責務を十分に果たして下さった。まことに頭の下がる思いです。

どうか私を卑怯者だとは思わないで下さい。私には私の使命があったのですからね。

何はさておき私はあの船を冷たい海の底から引き揚げねばならなかった。もちろん金塊めあてなどではありませんよ。私は弥勒丸と、その矜《ほこ》り高き乗組員たちを、何としてでも海底から引き揚げねばならなかったのです。

金などはビタ一文いらない。彼女と、彼女に殉じた勇敢な男たちを、もういちど太陽の下に甦らせることができたなら、私はその瞬間に五体を切り刻まれてしまってもいい。

個人的なこだわりではありませんよ。これは人間としての務め。

世界中の人々が狂ってしまったあの時代に、弥勒丸はたったひとりで、人類の良心を支えていた。平和の旗を、高々とマストに掲げていた。

過ぎたことだから忘れてしまってもいいのですか?

それはちがう。過去があったればこそ現在がある。そして未来から見れば、この現在も過去であるということを、忘れてはならない。だから私はこだわり続けたのです。一人の人間としてね。


中島吾市さんから、ロシア人密航者のことは聞いていますか。

そう。ターニャという名前の、白系ロシア人の少女のことです。兄と二人で密航を企てたのですが、発見されて兄は射殺されてしまった。そんな不幸な目に遭ったターニャには申しわけないが、実は彼女によって私たちはいっとき救われたのですよ。

宇品を出港してからというもの、船内の空気は日増しに険悪になっていった。そりゃそうです、見知らぬ運航指揮官の将校にあれこれと指図をされ、船のことなど何も知らぬ陸軍の兵隊たちに、鉄砲を持ってうろうろされたのでは、船員たちはみな面白くない。

ターニャを門司港で下船させずに、何とか白系ロシア人の居留地まで送り届けようと、初めて船員側と堀少佐との意見が一致したのです。それをきっかけにして、両者の反目が解けていった。弥勒丸の使命は船員たちには納得できなかったし、私たちにとっても謎だらけでした。だから一人の少女の命を救うという目的ができたことは有難かった。ターニャはふしぎな少女でした。

年齢は十五歳ということでしたが、体つきも表情も十歳ぐらいにしか見えなかった。白人の子供は成長が遅いのだとか、生まれついての収容所ぐらしでよほど栄養が悪かったのだろうとか考えましたが、もしかしたら年齢を偽っていたのかもしれません。子供心に、少しでも年長に見えた方が安全だとでも思ったのでしょうか。

兄を殺した堀少佐と陸軍の兵隊たちに対しては、ずっと怯え続けていました。心を許していたのは世話係の中島吾市さんと私、あともうひとり、カタコトのロシア語を話す見習船員だけだった。

トメジと呼ばれていた十五、六歳のその少年は、シンガポールでターニャとともに下船して以来、消息は知りません。復路の船内で姿を見かけなかったことはたしかで、おそらく上陸中に転属命令を受けて船舶司令部か帝国郵船の支社にでも居残ることになったのでしょう。いずれにせよその四ヵ月後に、シンガポールの日本軍は無傷のまま武装解除されたのですから、もしそうだとするとトメジ少年は、弥勒丸の三人目の生き残りということになります。

その後復員したか、あるいはそのままシンガポールの市民になったか——たしか笑顔のきれいな明るい少年だったと記憶しています。彼には焼跡の日本よりもシンガポールの方が似合いますね。

私が勝手に作ったもうひとつのお伽話を聞いていただけますか？

トメジとターニャは恋をして、夫婦になった。そして平和なシンガポールのどこかに、大勢の子や孫たちに囲まれて今も幸福に暮らしている。

この想像は、本当であって欲しいと思います。心から。

弥勒丸の中でのターニャは、いつも三人のうちの誰かと一緒でした。しかし中島さんには厨房での仕事があり、トメジ君は機関員でしたから、いきおい私と一緒にいることが多かったのです。

私がブリッジに上がっているときには、操舵室には入ってはならないと言ってありましたので、いつも左舷の引戸の外に膝を抱えて蹲《うずくま》っていましたっけ。それで船内の巡検に出るときなども、必ず私の後をついてきた。

ああ――巡検といえば、思い出しました。

私は海軍の日課にそって、毎晩二十時三十分に船内を巡検することにしていたのですが、いつでしたかその最中に弥勒丸の愕くべき構造を知ったのです。

ターニャの手を引いて、船底の機関室に入ったときのことでした。もちろん弥勒丸のエンジンは夜更けもたくましく動いていました。機関長のロクさんのほかに、何人かの機関員が左右二基の大型ディーゼル・エンジンを保守していました。

合計で二万馬力以上の大出力を出す轟音《ごうおん》の中で、ロクさんの果てもない自慢話が始まりました。

「ほれ、中尉さん。このターボ過給機《かきゅうき》でな、空気を大気圧の二倍に圧縮してよ、シリンダーの燃焼ガスを押し上げると、吸いこまれた空気が着火して爆発するんだ。それで――」

と、職人話をいったん始めればロクさんのだみ声はきりがありません。

かねがねロクさんからこの最新鋭のディーゼル機関の説明を聞いておきたいと思っていました。

私は機関科の出身ではありませんが、兵学校で基礎的な学習はしており、弥勒丸のエンジンには興味があったのです。

軍艦の機関には蒸気タービンとディーゼルの二種類がありました。ディーゼルは燃料を食わないかわりに機関そのものが重くて場所をとります。一方のタービンは小さくて軽いのですが、その分燃料をたくさん積まなければ航続距離がもちません。つまり帝国海軍の大艦巨砲主義には、タービンよりディーゼルの方が理に適《かな》っているのですが、航空機の優勢でその思想は怪しくなり、タービンかディーゼルかという論議は結局最後まで続けられていたようです。

要は小型軽量のディーゼル・エンジンがあればよかったのです。だから、弥勒丸の機関室を覗いたときはびっくりしました。これほどコンパクトにまとめられたディーゼルが、本当に二万馬力以上の出力を発生するのか、とね。

デンマークのバーマイスター・アンド・ウェイン社は船舶用ディーゼルのトップ・メーカーで、戦前の大型客船の多くはたいていこれを搭載していました。

ロクさんは噛んで含めるように、こんなことを言った。

「どうしてこんなに小さいかっていうとだね、ふつうのディーゼル・エンジンは二回転に一回、爆発燃焼をするしくみになっているんだが、こいつはシリンダーの押し上げと空気の充《じゅう》塡《てん》を同時にやっちまうんだ。つまり、一回転に一回爆発する。だから小さくて軽くて、出力も大きくて、そのうえ燃料も食わない」

そう。信じられない話ですがね、弥勒丸は戦後しばらくたってからやっと実用化されたツーサイクルのディーゼル・エンジンをすでに搭載していたのですよ。

それが果たして試験的なものであったのか、あるいは帝国郵船とB&W社との間に商業上の密約があったのかは知りません。だがともかく、世界中の技術者が夢に見ていたツーサイクル・ディーゼル機関を、弥勒丸はその優雅なドレスの内側に隠し持っていた。

「戦が終わって、サンフランシスコの港に入ったとたん、新聞記者が殺到するぜ。そのときはマイクを束ねて、きっちり説明してやる」

左右にたくましいツーサイクル・エンジンの駆動する機関室の通路を歩きながら、ロクさんは誇らしげにそんなことを言いましたっけ。

通路の先から油だらけの事業服を着たトメジがやってきて、小さな敬礼をした。ロクさんの話に退屈していたターニャを彼の手に預けて、私たちはさらに機関部の奥深くに向かって歩いて行きました。

そして、さらに大きな、さらに意外な、弥勒丸の秘密を知ったのです。

「こいつのすごさは、エンジンばかりじゃないよ。まわりを見渡して、何か気がつくことはないかい、中尉さん」

私はあたりを見回しました。トメジとターニャも、私につられて天井を見上げた。

「わからねえかな。エンジンも小さいが、機関室そのものが小さいだろう」

言われてみればなるほど、そんな気がしました。私は貨物船や客船の船底は知らないので比較はできませんが、たしかに厚い装甲《そうこう》を施した軍艦の機関部のような圧迫感があった。

「防御装甲、ですか」

と私は訊ねた。もちろん客船が軍艦なみの防御をしているはずはない。しかし、ロクさんはわが意を得たりというふうに肯いた。

「機雷防御をしている。新鋭の軍艦と同じ箱型船底だ」

まさかとは思いましたが、考えてみれば開戦の直前に進水した弥勒丸が機雷から身を守るための防御装甲をしていたとしても、何のふしぎもなかった。

箱型防御というのは船底やデッキを甲鉄《こうてつ》と呼ばれる特殊鋼板ですっぽりと被ってしまう軍

艦の構造のことです。ふつう客船にそんなことをしたら、重さだけで動けなくなってしまうのですが、大出力のディーゼル機関がそれを可能にしたのでしょう。

「空からの攻撃はもともと考える必要はないから、デッキはそのままだがね。万が一、機雷に触れてもビクともしないように、舷側《げんそく》と船底は甲鉄で被ってある。厚さ百ミリ。機関部の舷側は百五十ミリ。吃水線は二百五十ミリだ」

　大型戦艦なみの装甲でした。ことに吃水線の二百五十ミリ装甲というのは、機雷どころか魚雷攻撃を想定した防御です。

「そればかりじゃないぞ。箱型装甲の内側には、注排水区画がある。一発や二発くらって横ッ腹に穴があいたって、反対側の区画に注水すればすぐに水平に復元される。おまけに――」と、ロクさんは通路の先の水密扉《すいみつとびら》を指さしました。

「あの通り、蜂の巣のような水防区画だ。浸水した箇所はすぐに密閉できる。設計上はな、この船は片舷《かたげん》に同時に四発の魚雷をくらわなければ沈まない」

　のちに船長から船体図を見せてもらって得心したことなのですが、弥勒丸は同時触雷や魚雷攻撃を想定して設計された、完璧なダメージ・コントロールの機能を持っていたのです。戦時下の客船として、それはどうしても必要な装備だったのでしょう。

　話を聞きながら、トメジもびっくりしていました。カタコトのロシア語でターニャに説明すると、少女はほっとした表情で微笑んだ。「ダー、ダー」と、嬉しそうに肯いていましたっけ。

ロクさんの説明は、弥勒丸が不沈船だと言っているようなものでした。もちろん世の中に決して沈まぬ船などあるはずはないのですが、国際赤十字の要請を受け、安導券を持った船である以上、少なくともこの航海中に弥勒丸が沈む可能性はないと言ってもよかった。

その点は乗組員の誰よりも、私が一番理解していたと思います。兵学校は水雷科の出身で、艦隊勤務についてからも多くの実戦に参加してきましたからね。船がどういうふうにして沈むかはよく知っていた。

箱型構造、舷側百五十ミリ、吃水線二百五十ミリという防御はすごい。しかも注排水装置つきの水防区画。片舷にほとんど同時に四発の大型魚雷が集中しなければ沈まないというロクさんの説明は、たしかにその通りだと私も思った。つまり、轟沈《ごうちん》というか、いやもっと、一瞬にして粉砕されてしまわない限り、弥勒丸はダメージをコントロールする機能を持っていたのです。

そして赤十字船である以上、大型魚雷を同時に四発もくらうということは考えられなかった。

それはどういう状況かというと、ひとつは雷撃機の編隊が殺到して、よほど効果的な魚雷攻撃を行った場合。雷装した艦攻の編隊はおよそ十機で、一機が一発の魚雷しか装備できませんから、そのうちの四発を片舷だけに有効に命中させるなど、まずありえない。第一、それだけ大人数で視認するわけですから、誤爆ということが考えられません。

もうひとつは潜水艦による攻撃です。アメリカ海軍の大型潜水艦は四本の魚雷発射管を持っているので、ほぼ同時に発射をすることは可能ですが、こちらも速力の速い船ですからこれを全弾命中させるにはよほどの至近距離でなければ無理なのです。

第一、軍艦以外の船は一発の魚雷でひとたまりもなく沈みますから、客船を相手に四発の魚雷を同時に発射するはずはありませんよ。確信的な攻撃にしろ、それはありえない。

弥勒丸は船体を緑色に塗り、明らかな白十字を舷側と甲板に描き、しかも夜間はまるでイカ釣り舟のように、煌々《こうこう》とライトをともしている。魚雷が有効に命中するほどの至近距離で、誤認をするはずはないのです。視界のよい魚雷艇や駆逐艦ならば尚更です。

しかし――。

弥勒丸は沈んだ。昭和二十年四月二十五日午前二時十六分。台湾沖北緯二五度二六分〇一秒、東経一二〇度〇八分〇一秒の地点で、米海軍の潜水艦キングズフィッシュに四本の魚雷を撃ちこまれて、何らなすすべもなく、一通の信号さえ発する間もなく轟沈した。

キングズフィッシュの乗組員は軍法会議で「駆逐艦だと誤認した」と口を揃えて証言したが、それは嘘だ。いくら積荷の重さで吃水が下がっていたとはいえ、彼らも海の男ならば、あの美しい船を軍艦と見誤るはずはない。

また一万七千ヤードで発見し、千五百ヤードまで接近したと言ったが、それも嘘だ。四発の魚雷をすべて命中させるためには、千メートル、いや、数百メートルの至近距離でなければ不可能ですから。

なぜキングズフィッシュは、四発の魚雷を発射したのでしょうか。私には彼らが、弥勒丸のすぐれたダメージ・コントロール・システムを知っていたとしか思えない。これだけは五十数年間考え続けても解けぬ大きな謎です。

私たちは夜ごと弥勒丸のキャビンで、アラビアン・ナイトの夢を見ていた。

物語ならば、シャリアール王はシェエラザードの話を聞くうちにすっかり真人間に返ってしまい、むごい誓いを捨てて彼女を愛することになる。めでたし、めでたしです。

しかし実際には、あのころ世界中を被っていたシャリアール王の悪意を、シェエラザードはくつがえすことができなかった。

ジャカルタやムントクですべての救援物資を下ろし、再びシンガポールに入港した私たちが見たものは、埠頭をうめつくす避難民の群れでした。

それはまったく思いも寄らぬ光景だった。二千人の在留邦人が、それぞれ手荷物二個だけを持った着のみ着のままの姿で、弥勒丸の入港を今や遅しと待っていたのです。

舷梯が下ろされると、大勢の軍人が駆け上がってきた。南方総軍と方面軍の参謀、そして船舶司令部の将校たちです。続いてものものしい軍装の兵隊が五、六十人も乗りこんできた。

いったい何がどうなっているのかわからぬまま、私たちはAデッキの船尾よりにある一等喫煙室に押しこめられてしまったのです。

森田船長、笠原さんを始めとする四名の航海士、水夫長、甲板長、通信長、もちろん堀少佐も私も。

方面軍の高級参謀が音頭をとって、慰労会のようなものが始まったのですが、私たちははっきりと感じた。作業が終わるまで、私たちはていよく軟禁されたのです。一等喫煙室の扉の前には銃を構えた兵隊が立ちましたし、窓にはカーテンが下ろされてしまった。

高級参謀は、二千人の在留邦人をよろしくと、そればかりを言っていたのですが、同時に船倉に積みこんでいるであろう「物資」については一言も触れなかった。そのうち堀少佐がとうとう業《ごう》を煮やして、自分は本船の運航指揮官なのだから、こうしているわけにはいかないと言った。と、それまでじっと軍人たちの表情を窺っていた笠原一等航海士が立ち上がって、喫煙室から出ようとしたのです。

とたんに、まるで仮面を剝ぐ感じで軍人たちの顔色が変わった。扉口に立っていた若い将校が拳銃を抜いて、笠原さんを威嚇しました。

総立ちになった私たちにも、一斉に銃口が向けられました。

「何をするか。このような狼藉《ろうぜき》をはたらく理由をお聞かせ願いたい」

と、船長は高級参謀に正対して声を荒らげました。

「説明する時間がない。本船はただちに出航する。貴官らは命ぜられた通りにすればよい」

狂っている、と私は思いましたよ。ともに戦をしているのは私たちも同じなのですから、何の説明もなく弥勒丸を勝手に操ろうとする彼らは、たしかに狂っていた。

私たちが南洋の島々をめぐっている間、いったいシンガポールでは何が起きていたのでしょうか。

ジャカルタを出港したあたりから、帝国郵船の昭南支店とはぷっつりと無線連絡がとれなくなっていました。

航路の変更については、船長以下強い反対の意思を持っていましたし、シンガポールに戻ったなら帝国郵船の支店長とともに談判をしようと考えていたのです。堀少佐もその意見には賛同していたと思います。

命令とあらばいたしかたないが、意見具申はするべきだろうと、私も堀少佐も考えていた。少なくとも、大きな危険を冒してまで弥勒丸が進路の変更をしなければならぬ理由は知りたかった。

ところが、シンガポールの埠頭に接岸したとたん、弥勒丸は問答無用に乗っ取られてしまったのです。

乗組員の誰よりも、運航指揮官の立場を無視された堀少佐の怒りは激しかった。しかも彼には、大本営参謀の面子もかかっている。この事態は、南方総軍が大本営に抗って勝手な作戦を強行しようとしているか、さもなくば堀少佐だけが大本営の真意を知らされていなかったかのどちらかということになります。大本営参謀として、彼が激怒するのは当然ですよ。

実はそのとき、堀少佐は下船せよと口頭で命ぜられたのですが、彼は断固拒否した。運航指揮官の任務は陸軍大臣から命ぜられたのであるから、方面軍高級参謀に解任されるいわれはない、自分は本船に残る、というわけです。結局、押し問答の末、堀少佐も部下の船舶工兵たちもそのまま弥勒丸に乗り続けることになりました。

森田船長はさかんに、兵隊たちだけでも下船させるよう少佐を説得していました。おそらくそのときすでに、船長は弥勒丸の運命を予感していたのでしょう。しかし堀少佐の論理からすれば、部下たちだけを下船させるわけにはいかない。

私は陸軍の作戦の中にぽつんと孤立してしまった自分の立場を計りかねて、ともかく南遣艦隊司令部に連絡をとりたいと申し出ました。これは当然のごとく拒否された。計画は海軍のあずかり知らぬものだったのでしょう。

私と堀少佐はその場で拳銃を取り上げられてしまった。

それにしても、一万七千トンの弥勒丸に二千人の人間を乗せるとはひどい話です。もちろん運航に支障があるというほどではありませんが、甲板から廊下から船底まで、ぎっしりと在留邦人の婦女子でうめつくされてしまった。

わけのわからぬままに弥勒丸が桟橋を離れたのは午過ぎであったと思います。積荷の要領が悪く、船体はやや右舷に傾いていました。

外洋に出て、ようやく積荷を平均にする作業が始まったのですが、そのとき私は見たのです。

広い六番船倉には、弾薬箱が堆《うずたか》く積み上げられていた。そしてその重みは、とうてい弾薬のそれではなかった。なにしろ半分を向かい側の左舷船倉に積みかえたとたん、あの巨大な客船が水平に立ち直ったのですよ。

あれは南京政権を支えるだけの、膨大な黄金の山だったのです。

宋英明はいささかの昂《たか》ぶりもなく、まるで物語でも語り聞かせるようにとつとつと話した。

やや怒り肩の中国服の背には、その重い使命を護るようにベイ・エリアのイルミネーションがちりばめられている。

「よろしければ、お名前をお聞かせ下さい」

ソファの袖に頬杖をついたまま、軽部順一は眠りから覚めたようにそう訊ねた。

「名前は、スン・インミンですよ」

と、宋は藤色のサングラスの底で笑う。

「ただし――」

ためらいがちに続けようとして、宋老人は椅子に腰を沈め、深い溜息をついた。

「ただし、かつては正木幸吉と呼ばれておりました。生まれ変わる前の話、ですがね。れっきとした日本人。江田島で教育を受けた帝国海軍軍人です」

この老人はすべてを見たのだと思ったとたん、軽部は身を起こし、背筋を伸ばした。

「私が選ばれた理由を、どうしても知りたいのですが」

「べつに選んだわけではないですよ。小笠原会長の周辺に、たまたまあなたがたがいらした。いや、たまたまというより、もってこい、とでも言うべきか。失礼だが」

「もってこい、ですか」

と久光律子は笑った。

「おや、お笑いになるが久光さん。あなたも最初からメンバーに入っていたのですよ」

「え？　――私が、ですか。まさか」

宋英明の表情に嘘はなかった。シャンデリアの光を受けて輝く長衣の袖を翻して、宋は律子の顔に指を向けた。

「もちろんです。それとも、偶然だと思っておられたのですか」

「はい……偶然だと」

「偶然なんて、人生にそうそうあるものではありませんよ。偶然という言葉はね、事実の免罪符。わかりますか。人はみな、都合の悪いことが起こると、偶然のせいにする。そうではない。偶然などというものは、人生にいくつもない」

軽部は背を打たれたようにきつく目をつむった。宋老人の言葉には千鈞《せんきん》の重みがあった。

「人生に起こることの、ほとんどすべては必然。あの夜、重油にまみれて夜の海を漂いながら私はそればかりを考えていた。人間は偶然などという言葉を使ってはならない」

説諭されているのかもしれない、と軽部は思った。自分もやはり人生の海原を流されながら、すべてを偶然のせいにしてきた。

「私たちのことは、ご存じだったのですか?」

「はい。元銀行員と元自衛隊幹部。そして辣腕《らつわん》の新聞記者。もってこいでしたね」

「いや、私と彼女の関係のことです」

宋英明は二人の顔を見較べ、「対《トェ》。もちろんです」と肯いた。

「まず、軽部社長と日比野専務の過去をすべて調べ上げました。弥勒丸の関係者が日比野氏の育ての親であることもわかりました。私は彼自身より先に知っていたのですよ。ですからね、むろん久光律子さんがいずれ合流してくることも、強く期待していたのです」

「そんな、ばかな……」

と、律子は呟いた。

「嘘ではありません。男と女のことは難しいけれど、軽部さんはきっとあなたを訪ねると思ったから」

「彼はほかにも知り合いはいますよ。新聞社にも、出版社にも」

「しかしこの話はおいそれと口には出せないはず。ましてやある程度の地位についている友人たちにはね。だから私は、かつての恋人であるあなたのところに行くと思った。男と女はそういうものでしょう。ちがいますか？　――もっとも、あなたがたの心の奥までは、覗くことができませんでしたけれど」

この男は人間の形をした神なのだろうか。自分たちの偶然をすべて支配している。それは神の仕業《しわざ》だ。

「ですからね、軽部さん。私の考えの中には、当初から久光律子さんのエントリーは予定されていたのです。正直のところ、あなたがた二人が新聞社を出て、まっすぐ久光さんのマンションに向かわれたという報告を受けたとき、しめたと思いましたよ。案の定、あとは思った通りにことが運んだ」

律子が憮然と抗《あらが》った。

「心外ですね、宋さん。私は女として彼と会ったわけじゃないわ」

「さて、それは……私は心の中までは覗けない。あなたがたが、たがいをどう思っていらっしゃるのか、それは私の知ったことではありません」

律子は神に抗っているのだと軽部は思った。そして彼女自身の中の「女」に。

「久光さん――」不自由な瞳を律子に凝らしながら、宋英明は体のしぼむほどの溜息とともに言った。

「やはりあなたは、弥勒丸そのものだ。私の思い過ごしではないですよ。日本を訪れるたびに、私は弥勒丸が美しい女性の姿を借りて甦っていることを知りました」

律子はきっかりと宋を見返した。

「私は、忘れないわ。男たちがみんな忘れてしまっても、私は忘れない」

宋はサングラスの中で瞼を閉じ、得心したように肯いた。

「ありがとう。弥勒丸を愛した男のひとりとして、あなたに感謝します」

膝の上で握りしめた律子の拳は慄えていた。

「愛されたことは忘れても、愛したことは忘れないわ。一生、忘れない」

宋英明はソファの背にうなじをもたせかけて天を仰いだ。まなじりを涙が伝い落ちた。

「多謝《トオシェ》。その一言を、日本人の口から聞きたかった――」

宋英明の表情をしばらく見つめたあとで、律子が言った。

「土屋和夫さんをご存じですか」

あらかじめ用意していたように、宋は天井を見上げたまま答えた。

「はい。救世軍の方ですね。そして日比野専務の育ての親。立派な福祉活動を続けておられるらしい」

「土屋さんと私は、数寄屋橋公園で偶然に出会いました。あれは偶然ですよ」

宋は愕きもせず、細い顎を振った。

「そういうことも、人生ままある。偶然にはちがいないが実は必然的な出会いなのでしょう。ひとつの目的のために努力をしている者は、必ずどこかで出会います。べつに神が引き合わせたわけではない。ひとつの目的を思いつめているあなたがたが、存在を確認しあっただけです」

「……わからないわ」

「あなたは弥勒丸の情報を集めるために、耳をそばだて、目をみひらいて歩いていた。その高感度のアンテナに、その人が捉えられた。それだけのことです。偶然ではない」

おそらく宋英明は、神も仏も信じてはいないのだろう。偶然という言葉すらも。

軽部は身を乗り出して訊ねた。

「五十年前に、土屋和夫さんとの接触はなかったのですか」

宋はしばらく考えるふうをし、おびただしい記憶の名簿をくりおえてから、かぶりを振った。

「知りません。考えても思い出せない。あのころシンガポールにいて、弥勒丸にかかわったということのほかに、具体的な情報は何も」

「ほんのわずかの期間ですが、小笠原太郎氏の部下でした。弥勒丸に積載した機密物資と、帰国志願者の人選にたずさわったそうです」

サングラスの奥で、宋老人の瞳が痛みに耐えるようにきつく閉じられた。

「それは――」

言いかけて口ごもる宋を、律子がさえぎった。

「土屋和夫さんはご立派な方です。わかりますか、宋さん。土屋さんはおそらく、あなたと同じ気持ちで生きてきたのだと思います」

宋英明はゆっくりと頭をもたげると、強い声で律子を指弾した。

「それは、ちがう。彼は弥勒丸には乗らなかった。私と同じ気持ちで生きたのは、ベーカーの中島さんだけ。シンガポールに残った人間に、私たちの気持ちはわからない」

初めて宋は怒りをあらわにした。睨み合ったまま、律子は言い返した。

「ではお訊ねします。弥勒丸に乗っていらした島崎百合子さんという方をご存じですか」

「島崎？」

「はい。島崎百合子さん。大勢の混血児を引率していた、赤十字の看護婦さんです」

考える間もなく、宋英明は「ああ」と懐かしげに肯いた。

「覚えていますよ。とても美しい方だった。メイン・ダイニングの隅で、子供らとともに暮らしていました」

暮らしていた、という言葉に軽部は胸を衝《つ》かれた。シンガポールを出航してから台湾海峡に沈むまでの数日の間、島崎百合子は帰国者で溢れ返ったメイン・ダイニングの隅で、混血児たちとどのように時を過ごしていたのだろうか。

「ほかに、日本人会の幹事役のような老人がいらっしゃいましたね。ずいぶん顔のきく人だったようで、軍人たちも混血児たちを乗せることは承知していたようです。航海中にその看護婦さんとはお話をしたことがあります。いったい何を話したのやら——美しい横顔にみとれていましたので」

「島崎百合子さんは、土屋さんの許婚《いいなずけ》でした」

宋英明は律子を見つめたまま、しばらく押し黙った。

「本当ですか、それは」

「はい。土屋和夫さんの意思に反して、島崎さんは弥勒丸に乗ってしまったのです。彼女は軍の言うことを信じてしまった。軍人たちに抗議した土屋さんはスパイの汚名を着せられて捕えられてしまったんです。だから——」言おうとすることがうまく言葉にならぬように、律子は唇を噛んだ。

「だから、それはあなたが大変なご苦労をなさったことはよくわかりますけれど、土屋さんの苦しみも理解してあげて下さい。あの人は、十字架を背負って生きてきたんです。どうすればその重い十字架をおろすことができるのか、自分に何ができるのか、ずっと悩み続けながらつらい人生を歩いていらしたんです。それって……事件を解決する方法がちがうだけなんじゃありませんか。土屋さんは、自分なりの方法で心の中の弥勒丸を引き揚げ続けていたんじゃないですか」

宋英明は目をきつく閉じたまま、叱咤《しった》するような律子の声を黙って受け続けていた。

「やめろよ、リッちゃん」と、軽部は律子の肩を引き戻した。

「宋さんだって、自分の方法を信じているんだ」

「私、嫌いです。この人は人殺しをした。一億二千万人の命と引きかえてでも弥勒丸を引き揚げるですって？——獣だわ、まるで」

宋英明はテーブルの上から喫いさしの葉巻を取って火をつけた。

「対《トェ》。ごもっともです。だがね、久光さん。私は何と言われようとも、そうと信じたことを悔いはしませんよ。この目で——」と、宋はまなじりに葉巻の吸い口を当てた。

「この目で、すべてを見ましたから」

弥勒丸は平和の使徒でした。

マストには国際赤十字の旗が翻っており、船体には緑地に純白の十字章がいくつも染め抜いてあった。

しかし、その船の内部がいったいどのようなことになっていたのか、今となっては誰も知りません。

ベーカーの中島吾市さんが、その目で見たことをほとんど語ろうとしないのは、沈黙こそが平和と幸福のためであると信じた末の判断でしょう。

いいや、もしかしたら、本当に忘れてしまったのかもしれない。悪い夢だとでも思わなければ、記憶を背負って生きて行くことはつらすぎますから。その思いは、私とて同じですよ。

復路における私たち乗組員は操り人形のようなものでした。シンガポールから乗ってきた軍人たちは、四六時中、銃をかまえて私たちのうしろに立っていたのです。

強く抗議をした笠原一等航海士はAデッキの自室に監禁されてしまいました。ですから復路の操船は、私と次席航海士が行ったのです。ブリッジにもずっと、四、五人の将校と兵隊が詰めていました。

シンガポールをあわただしく出航したのが昭和二十年の四月二十一日。サイゴンにも香港にも寄らず、弥勒丸は一直線に台湾海峡をめざしたのです。

あとから考えてみれば、戦局はもうどうにもならない状況になっていたのですね。四月の初めには、ソ連から日ソ中立条約の不延長が通告され、参戦は時間の問題になっていた。小磯内閣が総辞職して、鈴木貫太郎を首班とする終戦内閣が発足していました。戦艦大和が沈没したのは、その同じ日のことです。沖縄の伊江島《いえじま》に米軍が上陸し、ヨーロッパ戦線では連合軍がベルリン市街に突入していました。

そんなどうしようもない時期に、弥勒丸は中国における軍政を維持するための黄金を運ぼうとしたのです。

誰にも未来が見えていなかった。世界が見えていなかった。上海の中央儲備《ちょび》銀行を救わなければならないのだと、それぱかりを考えていた。

本土決戦、一億玉砕が叫ばれていたあのころに、なぜ陸軍が大陸にこだわるのか、私にはまったく納得がいかなかった。

情けない話ですが、あれは中国という国に対する、一種の信仰ですね。堀少佐にかわって運航の実質的な指揮をとっていた南方軍の参謀は言った。

いざとなれば、天皇陛下にご動座《どうざ》を願うのだ、とね。

いよいよ、あの夜の出来事を語らねばなりません。

そう――昭和二十年四月二十五日の未明、彼女の身の上に起こった悲劇について。

前日から、海はひどく荒れていました。台湾海峡は熱帯低気圧の真只中にあり、弥勒丸は木の葉のように揺れながら、それでもできうる限りの速力で進んでいました。

うねりの頂きから谷へと滑り落ち、また駆け登る。視界は雨と濃霧のためにほとんどゼロといってよかった。

海が荒れ始めたころから、甲板の人々を船の中に入れたので、キャビンも廊下も食堂も足の踏み場もないほどの混雑でした。二千人の帰国者に二百人の乗員、それに加えて一個小隊三十人の船舶兵と、シンガポールから乗り込んできた七十人ほどの兵隊。つごう二千三百人の人々が船内にひしめいていたのです。しかもほとんどが船酔いをしてしまって、あたりは酸鼻《さんび》をきわめるありさまだった。

航海に出て以来、そんな時化《しけ》は初めてでした。私は船内をめぐって、なるべく頭を低くし、仰向いて眠るようにと言って回りました。船酔いにはその姿勢がいいのです。

Aデッキの談話室の窓から船首を見ると、甲板は早瀬のように波をかぶっています。まるで船がなかば沈んでいるように見えるので、談話室に起居していた役人とその家族たちはみな青ざめていました。

私は弥勒丸がその程度の嵐にはびくともしない船であることはよく知っていましたので、自信をもって彼らを説得しました。

むしろ、好ましい状況だと思った。船はほどなく予定航路をはずれ、上海に向けて取舵《とりかじ》をとる。この荒天では敵の偵察機は飛ばないし、潜水艦も息を殺してただ嵐の去るのを待っているはずです。弥勒丸は世界最新の装備と性能に物を言わせて、嵐の海を一気に走り抜ければよかった。

ただひとつだけ気がかりだったのは、常にない吃水の深さでした。船倉に収められた物資の総量は優に一万トンを超えていたでしょう。そのうえ二千三百人の人員を乗せているのですから吃水線は軍艦のように低かったのです。

うねりがやや静まると、弥勒丸は速度を上げました。深い霧の中で、波を裂きながら高速で航行する弥勒丸の姿は、たぶん客船には見えない。ことにレーダーでは船影は点として映りますから、敵潜水艦がその速度から判断して駆逐艦か高速巡洋艦だと誤認する可能性は十分にあります。

そのとき、思いがけぬことが起こった。

ふいに、甲板や舷側を煌々と照らし上げていた照明が、すべて消えたのです。私は愕いて談話室を飛び出しました。やめろ、やめろ、と叫びながら。

同時に、二基のディーゼル・エンジンが回転を上げた。階段の周辺にいた人々がみな押し倒されるほど、弥勒丸は急激に速度を速めたのです。

ブリッジに躍りこんだとたん、私は大声で叫んでいました。

「何をするか！　灯りをつけろ、誤認されるぞ！」

「軍の命令だ。本船は上海に向かって前進する。われわれがとやかく言うことではない。すよせ、正木、と堀少佐が私の腕を摑みました。

でに予定航路ははずれた。一気に突っ走るほかはないんだ」

堀少佐の手は慄えていました。

弥勒丸はうねりの上を弾《はず》むように速度を上げ続けていた。

「フル・アヘッド。全速前進」

私をちらと見、森田船長は静かな声で次席航海士に命じました。

「全速前進。取舵いっぱい」

航海士は船内電話と伝声管で船長の意思を伝え、操舵手は舵輪を左に回転させました。

「船長、灯りを、灯りをつけて下さい。お願いします」

森田船長はまっすぐに船首を見つめながら、私の声を聞き流しました。おそらく、議論を重ねたうえでの決断だったのでしょう。船長のかわりに、船舶輸送司令部の将校が海図から顔を上げて答えた。

「予定の航路をはずれれば、いつ攻撃を受けるかわからん。行動を秘匿《ひとく》するために灯火を消した」

私は俄然抗議しました。彼らは海の戦を知らない。潜水艦の何たるかも知らず、魚雷の脅威も知らぬ彼らの判断に、唯一の海軍士官である私が従うわけにはいかなかった。

「潜水艦のレーダーには、目標は点にしか見えません。しかし灯火さえつけていれば視認できます。吃水の低い弥勒丸が全速航行すれば、駆逐艦に誤認されるおそれがある。灯をつけて下さい」

いや、と総軍参謀が私の声を遮《さえぎ》りました。

「この荒天では何が起こってもふしぎではない。よしんば灯火をつけていたとしても、誤認したと言われればそれまでだろう」

私は速度計に駆け寄りました。十八ノット。霧に包まれた台湾海峡を、弥勒丸はたしかに考えられぬ速度で航行していた。

森田船長は行手の闇に目を凝らしながら、口髭をゆがめて苦笑しました。

「どうです、正木中尉。駆逐艦でも高速戦艦でも、弥勒丸のまねはできませんよ。このうねりの中を、十八ノットで巡航できる船は、世界中でわが弥勒丸だけです」

おそらく、森田船長は肚をくっていたのでしょう。軍に無理無体な任務を強要されて、彼がそのときできることといえば、弥勒丸の性能を誇るしかなかったのだと思います。だから船長は、死に向かって突き進みながら微笑し続けていた。

「笠原君のところへ行って、事情を説明してやって下さい。きっとキャビンでおろおろしているでしょうから」

船長は振り向きもせずにそう言いました。

笠原一等航海士の自室はブリッジの真下でした。

監禁されていたといっても、べつに縛りつけられていたわけではありません。シンガポールを出航して以来、まるで海賊のようだと軍人たちを罵《のの》り続け、予定航路の変更に徹頭徹尾反対していたので、とうとう自室に軟禁されてしまったのです。

結果からいえば、笠原さんはただひとり正しい主張をしていたことになります。私たちもみな、同じ気持ちでいたのですが、結局は軍の命令なのだから、戦争なのだからとあきらめてしまっていた。その点、笠原さんは決して妥協しない意志の強い人でした。

一等航海士室は船首に向かって大きなガラス窓がついていて、中の様子がよく見えます。ブリッジの階段を昇り降りするたびに笠原さんの姿が見えて、そのつど何となく良心の呵責《かしやく》を感じたものでした。笠原さんはいつも執務机に向かって酒を飲んでいるか、酔いつぶれてベッドで寝ていましたっけ。

扉の前に衛兵が立っていましたが、外部からの通行は自由でした。

私が部屋に入ると、笠原さんはウィスキーの罎《びん》を抱えたまま、うらみがましい目で私を睨みつけました。ひどく酔っ払っているふうでした。

「どうなってるんだ、いったい」

と、執務机から身を起こして笠原さんは唸るように言った。

「全速で上海までつっ走るそうです」

「そうか……それはけっこうなことだ。だが――」笠原さんは真っ赤な目を、窓の外に向けました。

「だが――照明を消すのはうまくないな。いったい何を考えているのだ、やつらは」

「その点については抗議したのですが」

「知らんぞ。魚雷が飛んできても」

今さら何を言ったところで始まらん、というふうに、笠原さんは深い溜息をついた。それからしばらくじっと私の顔を見つめて、自分自身に言いきかせるように呟きました。

「まあ、そう心配することもあるまい。弥勒丸は一発や二発の魚雷で沈みはしない。攻撃されたら、あわてずにこれだけのことはやってくれ。まず、発射方向に向けて緊急信号を。浸水があれば水防区画の遮断。要すれば注排水装置の作動。ともかく、ダメージ・コントロールだ。そして乗客が愕いて勝手な行動をとらぬように、きちんと誘導してくれ」

浸水の対処と避難訓練は、毎日行っていました。もちろん私も注排水装置の操作は知っていた。攻撃が確信的なものでない限り、とりあえず致命的な損傷を回避する自信はありました。

「みんな熟練していますから、大丈夫です。お任せ下さい」

片舷に四発の魚雷が集中しなければ、弥勒丸は沈まない。理論上は不沈船だったのですよ。理論上はね。

ダメージ・コントロールと緊急信号の発信。乗客の誘導。それだけをきちんと、あわてずに実行すれば、被害を受けても大事には至らずにすむ。

私もおのれにそう言い聞かせて、不穏な気持ちを何とか落ち着かせようとしました。

「やつらにこの船の防御能力は説明してあるのか」

「はい」と、私は答えた。

厚さ二百五十ミリという愕くべき吃水線の防御や、水密扉で細かく区切られた水防区画の形、注排水装置の存在などはすべて軍人たちに報告してありました。

「ではなぜ灯火を消すのだ。船影から軍艦だと誤認されれば、どんな攻撃を受けるかもわからんじゃないか」

笠原さんの言うことはしごく道理なのです。つまり軍人たちは、ほとんど特攻隊のような気分で、ともかく一分一秒でも早く、夜陰にまぎれて上海にたどりつこうと考えていた。それしか頭になかったのです。

「予定航路を変更すれば、安導券を放棄したとみなされます。だから発見されてはまずいということなのでしょう」

「なるほどな。一理はある」

笠原一等航海士は革張りの回転椅子を私の方に向けて、ウィスキーの罎をくわえました。

「だが、この荒天下で予定の進路が多少ずれることは、いたしかたないだろう。だからといって、敵が即座に攻撃してくるとは考えられん。やはり海が荒れている間は灯火をつけておくべきだな。そうは思わんか、中尉」

「つまり、一気につっ走るのは海が凪いでからでよい、と――」

「そうだよ。現在の速度の限界はせいぜい十八ノット。海が凪いでから二十三ノットでつっ走ればよかろう」

弥勒丸の性能を知りつくしている一等航海士の判断はさすがに正しいと思いました。海が荒れている間は灯火をともして誤爆を避け、うねりが静まれば快足に物を言わせて、一気に上海へとつっ走る。船の安全と任務の達成を秤《はかり》にかければ、たしかにその方法が正しかった。

「見張りは？」

弥勒丸の甲板要員たちは、みな定位置に体を縛りつけて徹夜の見張りをしていたのですよ。彼女を沈めてはならないという、その一念でね。あんなファイトは帝国海軍の水兵にもなかった。彼らはひとりひとりが、弥勒丸の恋人でした。

「交替要員もすべて立哨《りっしょう》させています。ただし、ごらんの通りの視界では……」

私と笠原さんは同時に船首に向かって開けた窓を見ました。雨足はようやく衰え、風も弱まってはいましたが、あたりは濃霧がたちこめて視界はほとんどなかった。

「やつらに意見具申をしてくれないか。もういちど灯火をつけて、ホイッスルを鳴らし続けろと」

どう考えても、笠原さんの判断は正しかった。

私はともかく信ずるところを述べて、軍人たちを説得してみようと思った。

「わかりました。おっしゃる通りです」

そのとき、スピーカーから美しい音色が聴こえました。誰かが談話室でレコードをかけたのでしょう。

シェエラザード──千一夜の夢。

愛していた妻の不貞により、すべての女性を呪うようになったシャリアール王は、美しく賢い娘シェエラザードの寝物語に耳を傾けるうちに改心をします。

そんなアラビアン・ナイトの世界を、船乗りたちは信じていたのかもしれない。

しかし、彼らの夢は粉々に砕かれてしまった。

あとから思えば、ほんの数分間の出来事だったにちがいありません。それなのに、まるで何時間にも感じられたのはふしぎなことです。おそらくその数分間は、時間の単位では計れぬほど緊密に過ぎたのでしょう。

一等航海士の部屋を出て、私はブリッジへの階段を昇ろうとしたのです。そのとき、高橋水夫長と行き合った。

雨が上がったので、船内にすしづめになっている乗客を甲板に出そうと水夫長は言った。

船首を見ると、なるほどうねりもやや静まって、これなら甲板に出ても危険はない。とりあえずメイン・ダイニングにひしめいている人たちを誘導しようということになりました。

水夫長と連れ立ってAデッキの廊下に戻ると、そこも足の踏み場がないほどの乗客で溢れていました。誰もがひどい船酔いで、壁にもたれてうずくまったり、寝転んだりしています。客室の扉は開け放たれたままで、室内もぎっしりと人で埋まっていました。

「気分の悪い人は甲板に出て風に当たって下さい」

というようなことを、二人で言って回ったと思います。何人かがいたたまれぬように立ち上がりました。

Aデッキの廊下のつき当たりは、メイン・ダイニングを見おろす吹き抜けになっています。照明はすべて消されてしまっており、ぼんやりとした予備灯の下に、何百人もの人々がひしめいていました。

私と水夫長は大声で、男は甲板に出るよう命じました。

大勢の男たちが声に応じて立ち上がり、メイン・ダイニングから出て行った。

その間にもシェエラザードの美しい調べは、船内のスピーカーから流れ続けていました。

「灯りはつけたほうがよろしいでしょう」と、水夫長は言った。海の男たちの考えは、みな同じだったのです。

「なあに、理屈じゃない。弥勒丸の姿さえはっきりと見えていれば、攻撃をしかけてくるやつなんて、いやしませんよ」

それもっともだと私は思った。潜水艦の乗組員たちにとっても、太平洋航路のエースはあこがれにちがいありませんからね。

実は今、一等航海士からもそう指示されてきたのだ、と私は答えた。

「そう、理屈じゃない」

いくらか捨て鉢な気分だったかもしれないが、心からそう思いました。高橋水夫長は私に小さな敬礼をして、Bデッキに下りて行きました。

左右からBデッキへと下る大階段の上は、「エントランス」と呼ばれていた一等船客のための案内所で、マホガニーと真鍮《しんちゅう》でできた立派なカウンターの向こう側が歩哨の詰所になっていました。

山口というロートルの二等兵——ああ、前にもお話ししたと思いますが、三十八歳で根こそぎ召集された安田銀行の行員です。

その山口二等兵が船酔いで真っ青になった顔をカウンターの向こうから覗かせて、

「どうして灯りを消してしまったのですか」

というようなことを、不安げに訊ねました。

船体を照らし出す照明とともに船内の灯りもすべて消えてしまっており、ところどころに非常用の予備灯がついているきりでした。

詰所の中から三、四人の兵隊が顔を出して、私に敬礼をしました。先任らしい若い伍長が、やはり同じことを訊ねた。シンガポールから船を乗っ取るような感じで乗りこんできた彼らは、日ごろ私たちと言葉をかわすことはありませんでしたが、不安な気持ちは同じだったのでしょう。何と答えたのかは忘れました。ただ、はっきりこう思った。

ああ、この人たちも軍の命令で、何ひとつ知らされずに弥勒丸に乗ったのだな、とね。

とたんに、いやなことをたくさん思い出してしまいました。いや、あとからそう思ったのかもしれませんが、ともかく兵隊たちは私たち将校とちがって何も知らないのだ、と思った。

私は乗艦を三度も撃沈されて、そのつど多くの部下を失ってきた。彼らひとりひとりの顔が胸に甦って、とてもいやな気分になったのです。

私たち将校は、乗艦がどの海域にあって、何のために、どういう作戦行動をとっているかは知っていましたが、部下の水兵たちはおそらく何も知らなかった。

軍隊とはそういうものですね。兵隊や水兵は何も知らなくてよい。ただ命令された通りに、日ごろの訓練の成果を発揮すればよい。

しかしよく考えてみれば、何も知らないということは、死ぬ理由すら知らないということではありませんか。乗艦と運命をともにした私のかつての部下たちは、自分がいったいどこで、どんなふうに、何のために死ぬのか、何ひとつ知らなかった。

シンガポールから海賊のように乗りこんできた兵隊たちも、弥勒丸の隠された使命は知らなかったのです。ただこの船の警備をしろと命ぜられただけだった。

「中尉殿、よろしかったらどうぞ」

と、若い伍長は夜食のパンを私に差し出しました。胡麻とよもぎを練りこんだ焼きたてのパンでした。

「さきほど厨房から届いたのですが、中島さんの焼くパンは天下一品ですな」

と、山口二等兵は銀行員の顔にかえってそう言いました。

余談になりますが、二千三百人もの乗客を抱えこんだ厨房の忙しさは大変なものでした。何しろ人数が人数ですから、決まった時間に食事を出すことなどできるはずはなく、ほとんど休む間もなく炊き出しを続けていたのではないでしょうか。二十何人かの司厨員のほかに、シンガポールから乗りこんだ日本人会の婦人有志が一生懸命に手伝っていました。麦缶《ばっかん》に握り飯を詰めて、司厨員が船内を走り回る。水の支給も彼らの仕事で、その係の若い司厨員は、一日じゅうヤカンを提げて「水、水」と声を出しながら、まるで駅弁売りのように歩き回っていたものです。

彼らの姿を見ながら、人を生きさせるのは大変なことなのだと、しみじみ思ったものでした。そう——平和な時代には誰もが忘れてしまっていることですが、人はみな、誰かに食物を与えてもらい、水を与えられて生きているのですよ。それは対価の問題ではない。誰かに食物と水とを与えられて、人は生きているのです。

ベーカーの中島君は言っていました。こんなに思いっきりパンを焼いたのは生まれて初めてだと。何となく嬉しそうでしたね。

そうした忙しいさなかに、私がつくづく頭が下がったのは、司厨長の大山さんでした。あの人は大混乱の厨房でも、常に丈の高いシェフ帽を冠り、背筋を伸ばして調理の指揮をとっていた。

いちど巡察の将校がその身なりをなじったことがありましたが、そのとき大山さんは頭ごなしに怒鳴り返したものです。

「このシェフ・ハットは伊達《だて》じゃない。司厨長の所在がどこか、誰からもすぐにわかるように、グラン・シェフはこういう帽子を冠っているんだ。首のナフキンは、汗が滴《したた》り落ちぬように巻いているんだ。ただ格好ばかりをつけているのは君らじゃないかね。何だねその軍刀は。その金ぴかの参謀懸章《けんしょう》は。その略綬《りゃくじゅ》や階級章は。君も男ならば、そういう身なりを恥ずかしいとは思わんのか」

そばで聞いていて仲に入る気になれなかったのは、大山さんの物言いが正論に思えたからです。

私も自分の職業が卑小なものだと気付いた。なぜかって――それはもちろん、人を生かす職業と人を殺す職業のちがいですよ。

大山シェフの作るフランス料理が、なぜあんなにおいしいのか、そのときはっきりとわかったような気がしました。

あの人の作るものは、塩味の握り飯さえも母親が作ったもののようにおいしかった。

ところで――。

Aデッキのエントランスを離れて、私は左舷の上甲板に出ました。そのとき、何気なく大階段の壁にかかった柱時計を見ました。

時刻は午前二時十分をさしていました。

雨が上がり、うねりはやや静まっていましたが、雲の低く垂れこめた真暗な夜でした。

プロムナード・デッキには、船内の混雑から逃れてきた人影がちらほらとあった。いつ何どき高波がくるかわからないので舷側には寄らないようにと、私は人々に注意を促しながら船首に向かって歩きました。

ともかく、何としてでも将校たちを説得して、もういちど灯火をつけさせようと思った。

プロムナード・デッキをしばらく船首に向かって歩くと、グラス・デッキと呼ばれるガラス張りの外廊下に入ります。つまり弥勒丸のAデッキの船首よりの部分は、展望の開けたガラスの回廊なのでした。

そこで、島崎百合子さんという赤十字の看護婦に出会いました。彼女は白衣の両手に子供を連れ、夜泣きする幼児を背負っていました。

「申しわけありません。電気が消えたら怯えてしまって……」

と、島崎さんは私に詫びた。

ふだんはメイン・ダイニングの隅にいた人ですが、子供らが泣き始めて周囲の人々に叱られたのかもしれません。

「べつにあやまることではありませんよ。相身たがいなのですから。灯りはじきにつけます」

「この子たちのことをよく言わない人も多いので」

島崎さんはひどく疲れているふうでした。彼女の引率していた子供らはみな混血児で、どういう伝《つて》で乗り込むことができたのかは知りませんが、志願して乗船できなかった日本人も大勢いるのですから、やはり一部の乗客たちからは訝《いぶか》しがられていたのだと思います。

私は山口二等兵からもらったよもぎ入りのパンを、等分に割って子供たちに与えました。

「ありがとうございます」

と、子供らは正確な日本語で言った。忘れようにも忘れられませんよ、あの笑顔は。

しばらく行って振り返ると、島崎看護婦は背を凛《りん》と伸ばしてこちらを見ていました。子供らは手を振っていた。

どういういきさつがあって混血児たちの面倒を見ることになったのかは知りませんが、立派な人だなとしみじみ思ったものです。

グラス・デッキの先端はぐるりと談話室をめぐっています。相変わらず「シェエラザード」は船内に響き渡っていました。

左舷の窓から中を覗くと、ぐったり疲れ果てた人々がソファや床の上で眠りこけていました。談話室の乗客の大方は大東亜省の役人とその家族、商社員や軍関係の人々でした。毛布もそれぞれに支給されていて、いわば特別室でしたね。

ガラスごしに目を凝らすと、大きな蓄音機の前に堀少佐が座りこんでいました。軍服の前をはだけ、長靴《ちょうか》をかたわらに脱いで、軍刀を肩にあずけていた。「シェエラザード」は彼が船内に流したのでしょう。

窓ガラスを軽く叩くと、堀参謀は寝ぼけまなこの顔をもたげてこちらを見た。

そして、消えてしまったシャンデリアを指さし、拳を振りました。どうして灯りを消したのだ、早くつけろ、というわけです。

私は斜め上のブリッジの方向に指を向けて、これから談判をしに行くという意思を示しました。

よし、それなら俺も行く、という顔をして、堀少佐は立ち上がって長靴をはいた。

笠原航海士のように軟禁こそされてはいなかったものの、堀少佐は乗り込んできた軍人たちからひどく疎外されていました。

なにしろシンガポールから乗った将校たちはどれも堀少佐より年上で、士官学校の先輩にあたるのです。とたんに大本営参謀の威厳もどこへやら、たちまち口を出せなくなってしまった。ましてや相手はそうそうたる南方総軍や方面軍の前線将校たちで、鼻息も荒い。

堀少佐は身仕度を整えながら談話室を出て、左舷の階段の下に立つ私に向かって言った。まるで階上のブリッジに聞こえよがしの大声でした。

「いったい何を考えているんだ。どうぞ沈めて下さいと言っているようなものじゃないか」

「まったくです」

と、私も相槌《あいづち》を打ちました。

「ところで中尉。ここはどのあたりだ」

「台湾の基隆《キールン》沖です。つい今しがた、左九十度に進路を変えました」

「やれやれ」

と、堀少佐は呑気な溜息をつきました。

実のところ、私たちはその期《ご》に及んでも希望的観測をしていたのです。軍艦なみの防御構造と、細かな水防区画をされたダメージ・コントロールの仕組みを知っていましたから。まして やこの荒天下で、敵の潜水艦が至近距離から四発の魚雷を命中させるなど、考えられなかった。

「うまい具合に一発だけどこかをかすめてくれないかな」

そんなことを堀少佐は言った。つまり、敵の雷撃を受けて多少の損害を蒙《こうむ》れば、それを理由に堂々と上海に入港できる、というわけです。

しかしともかく、灯火をつけさせねばならなかった。あのイカ釣り船のような照明を消して全速で上海に向かっていたのでは、安導券を自ら放棄したのと同じことですから。

私と堀少佐は左舷の階段を昇った。ブリッジの左に張り出した見張所に、若い船員がロープで手すりに体を縛りつけて立っていました。苗字は失念しましたが、「サブ」と呼ばれていた十五、六歳の少年です。宇品に戻ったら海軍特年兵を志願したいと言っていたので、記憶に残っているのです。

サブは不自由な体をよじって私たちに敬礼をしました。そのときふいに雲が切れて、まんまるの月が頭上に輝き出しました。にきびだらけの少年の顔がくっきりと見えるほどの月明りだった。

「月が出たぞ。今のうちによく見張っておけ」

サブは体じゅうでハイ、と返事をして双眼鏡を波の上に掲げました。

左舷のブリッジに上がったとき目にした光景は、瞼に灼きついていますよ。

月光が真向《まっこう》から、まばゆいほどに射し入っていたせいかもしれない。薄暗い船内を歩き回ってきた私の目に、そこは真昼のような明るさでした。

ブリッジの内部は純白のペンキで塗られており、真鍮の器材はピカピカに磨き上げられていたのです。

左右両舷の見張所と中央の操舵室の間には頑丈な木の引戸があります。それは開け放たれたまま固定されていて、内部の様子がはっきりと見えました。

森田船長は羅針儀《らしんぎ》を覗いており、次席航海士は正面の壁に取りつけられた左右両舷エンジンの回転計を見上げていました。

操舵手は舵輪の前で背筋をピンと伸ばして正面を見つめていた。陸軍の将校が三人、その右側の海図盤に寄り集って、何ごとかを相談していた。まんなかの中佐は船舶輸送司令部の参謀で、この人は海図を読むことができたのです。

そのほか真白な海軍事業服を着た伝令が二人、操舵機《そうだき》の脇と正面の伝声管の位置に立っていました。

右舷寄りの電探のそばに獅子頭《ししがしら》の飾りがついたワゴンが置いてあり、パンと握り飯が山盛りになっていたのが印象的でした。

まるで、映画のスチール写真のような光景だった。すべてがくっきりと、射し入る月光に洗い上げられていました。

将校たちに点灯の談判をしようと、私たちが操舵室に入りかけたときのことでした。左舷で双眼鏡をかまえていたサブが、突然にわとりのような声を張り上げたのです。

「左舷九十度に潜望鏡！　距離五百！」

ブリッジの人々はいっせいに声を振り返った。

「距離、五百！　あっ、雷跡《らいせき》です、左舷に雷跡！」

私は見張所に駆け戻り、双眼鏡をかまえた。

「左舷に雷跡！　全速前進！　面舵《おもかじ》いっぱい！　回避、回避！」

私は大声で叫んだ。うねりの中で潜望鏡は確認できませんでしたが、弥勒丸に向かってまっしぐらに進んでくる白い雷跡を、たしかに見たのです。

「フル・アヘッド！　全速前進！」

船長が叫びました。伝令が伝声管に向かって、次席航海士は電話機を摑んで叫んだ。操舵手は舵輪《だりん》を思いきり右に切りました。

船体は大きく傾きながら加速した。それは私がそれまで体験したどんな軍艦の回避行動よりも切れ味のよい、鋭い反応でした。弥勒丸はすばらしい船だった。

「回避、回避！」

私が魚雷の回避を告げると、堀少佐は傾いたブリッジのあちこちにぶつかりながら操舵室に駆けこんだ。

「ばかやろう！　灯りをつけろ。早く！」

そう言いながら堀少佐は先輩の将校たちを片っぱしから殴りとばしました。

たちまちデッキや舷側に、満艦飾の照明が灯りました。

船長はみずから気笛《きとう》作動器を引いて、ホイッスルを鳴らしました。

「通信長、電打て。英文で攻撃停止、本船は赤十字船弥勒丸！」

弥勒丸は月明りの海上で舞うように歌うように、あらん限りの照明を灯し、汽笛を鳴らし、無線を打ち、そこかしこから手旗を振った。

月が雲間にかげって、あたりには再び漆《うるし》を流したような闇がやってきました。

「よおし。速度落とせ、半速前進。ハーフ・アヘッド。取舵いっぱい」

森田船長は低い声で伝令に伝えた。弥勒丸は左に船首を回しながら速度を落としました。

「通信長――」

操舵室の裏側にある通信室から、通信長が出てきました。森田船長は前方を見つめたまま巌《いわお》のように動かず、落ちつき払っていた。

「敵に対し、英語平文で伝えよ。本船は国際赤十字船弥勒丸。ただいま貴国潜水艦の誤認攻撃のため、右舷機関を損傷した。日本までの航行は不可能。よって本船は破損機関修理のため、上海に寄港する。巡航速度十三ノット。貴国は麾下《きか》の全部隊に対し、本船の安全を保障せよ。くり返す。本船は国際赤十字船弥勒丸」

通信長は同時翻訳した英文を書きこむと、通信室に戻って行きました。

私は森田船長の後ろ姿に目を瞠った。堀少佐がなかば冗談で口にした名案を、船長は本当に実行したのです。

十三ノットに減速した弥勒丸は、光のかたまりとなって、ゆっくりと上海をめざして進み始めました。

日ごろ温厚で笑顔をたやさず、太平洋航路の船長そのものだった森田さんが、あのときだけ戦闘指揮所に立つ戦艦の艦長のように見えたのはなぜでしょうか。近寄りがたい、声もかけられぬほどの威厳が、老船長の背中にそなわっていたのです。

「伝令」

と、船長は低速で北進し始めた行手を見つめたまま、伝令に命じました。

「ボウ・タイを。私の部屋のデスクに置いてある」

「ボウ・タイ、ですか?」

「そう。夜会がなくても、夜は蝶ネクタイを締めなければ。ああ、それから、一等航海士もボウ・タイをしめて、ブリッジに上がるよう言って下さい」

返事をする前に、伝令は陸軍の将校たちを振り返りました。彼らは堀少佐の剣幕と船長の威厳に圧倒されて、まるで猿のように蹲《うずくま》ってしまっていた。いや、そうじゃない。彼らは弥勒丸の正体を見てしまったのです。

彼らが戦にかり出し、思うさまこき使ってきた太平洋航路のエースは、まるでじっととざしていた羽を拡げるように、その正体を現わしたのでした。

私は操舵室の左端に佇んだまま、ぼんやりと一幕の舞台を見るように、人々の動きを見つめていました。

海は暗かったが、甲板につらなる満艦飾の灯りが、ブリッジを下から染め上げていた。華やかな黄色い光の中で、戦という理不尽に真向から向き合った海の男たちの姿は、あまりに美しかった。

笠原一等航海士はまるで用意していたように、夜の正装でブリッジに上がってきました。

少しも酔っているふうはなかった。

腕に三本の金線の入った、丈の短い上着。英国流の襟つきのチョッキにも、ピカピカの金ボタンが並んでいた。そして、白いはね襟のシャツに、絹のボウ・タイを結んでいました。つばに月桂樹の刺繡《ししゅう》をあしらった帽子には純白のカバーがかけられ、帝国郵船の帽章が誇らしく輝いていた。

笠原さんは人々が彫像のように見守る中を歩き、海図盤の前に立ちました。

正面を向いたままボウ・タイをしめると、森田船長は低い、穏やかな声で言った。

「航海士、現在位置を」

笠原さんは海図を覗きこむと、即座に答えました。

「北緯二五度二六分〇一秒。東経一二〇度〇八分〇一秒。航海速力十三ノット」

「よし。本船は半速前進のまま、上海に向かう」

笠原航海士は進行方向に向き直って姿勢を正し、制服の厚い胸板を膨らませて声を上げました。

「よォそろォー」

次席航海士が唱和した。

「よォそろォー」

操舵手が、通信長が、伝令が、警戒員が、みな口々に清らかな声を張り上げました。

「よォそろォー」

「よォそろォー」

涙が出た。

「よォそろォー」

と、海の男の合言葉が自分の咽から滑り出たとたん、涙がほとばしり出たのでした。海軍でも挨拶のように使い慣れたその言葉の美しい響きに、私は泣いてしまった。

「よォそろォー」は、「宜《よろ》しく候《そうろう》」という古い船乗りの言葉が訛ったものです。

ブリッジの下からも、良く通る男の声が聴こえてきました。声は光輝く甲板の涯《はて》まで、はるかに逓伝《ていでん》されていった。

満月がまるで私たちの行手を開くように、ふたたび姿を現わしました。弥勒丸はゆったりとうねる海の上を、十三ノットの半速で進んでいった。

それほど堂々とした、矜《ほこ》り高い男たちを、私はかつて見たことがなかった。

栄光のパッセンジャー・シップ、ザ・ミロク。偉大なる弥勒丸。

彼女は狂気と理不尽の海の上を、まっすぐに進んで行きました。

見張所からサブが声を張り上げました。

「左舷前方に潜望鏡、距離一千！」

私は進行方向に双眼鏡を向けた。そのときブリッジの人々が少しも動揺しなかったのはふしぎなことです。

なぜなら、左舷前方に現われた敵潜水艦は、どう考えてもさきほど攻撃をしかけたものとは別だったのですから。

私もべつだん狼狽はしなかった。ただ、ああこういうことだったのかと思いました。

「左舷前方に潜望鏡、距離二千五百！」

もういちどサブが叫んだ。双眼鏡を覗くと、さらに先の小高いうねりの頂に、棒杭《ぼうくい》を立てたような潜望鏡が視認できました。弥勒丸は敵の潜水艦隊に包囲されていたのです。

森田船長はさして愕くふうもなく、私をちらりと見返って言いました。

「どうやら待ち伏せのようだね、中尉」

たしかにそうとしか思えなかった。荒天下の基隆沖で左九十度に回頭して上海に向かった弥勒丸を、潜水艦が追尾できるはずはありません。だとすると、照明を消し、電波を封止したあとの弥勒丸の位置は、敵の哨戒網《しょうかいもう》に捕捉されていたことになります。そして「ザ・グレート・ミロク」の姿を求めて遊弋《ゆうよく》していた潜水艦隊が待ち伏せた。

ブリッジはしんと静まり返ってしまいました。

人々はそれぞれ何を考えていたのでしょうか。少なくとも、それまでに乗艦を三度も撃沈されていた私は、誰よりも状況を把握していたと思います。

まず、敵には弥勒丸を沈めるというはっきりとした意志があった。

そして、これはまことに信じられないことですが、弥勒丸の防御と性能とを、かなり正確に知っていた。そうでなければ、たかだか一隻の徴用客船のために、潜水艦隊を使用するはずはありません。

敵がどうやって弥勒丸の任務と性能と防御装備の秘密を知ったのかは、いまだに謎ですが。ともかく敵は、弥勒丸の積荷が何であり、撃沈するためにはどれだけの戦力を用いてどのような攻撃を加えればよいのかを知っていたのです。

「さて、どういたしますか、船長」

と、笠原一等航海士は落ちつき払って言いました。

森田船長はさほど考える様子もなく、きっぱりと答えました。

「三隻の潜水艦が相手では、仕方がないね。このまま半速前進。信号は打ち続ける」

弥勒丸はいっさいの回避行動をとらず、灯火も煌々と照らしたまま、まっすぐに月明りの海を進んで行きました。

「通信長、電文を追加せよ」

船長は軍人たちの存在など知らぬかのように言った。

「本船は太平洋航路客船、弥勒丸。この英姿と美貌とを、心ゆくまでご覧下されたし。本船は横浜―サンフランシスコ航路の貴婦人、弥勒丸。紳士たるものはすべて登舷《とうげん》の礼をもって迎えられたし」

舵輪を握ったまま、操舵手が呟きました。

「どうだ。沈められるもんなら、沈めてみやがれ」

振り返ると、いつしか甲板には乗客たちが溢れ出ていました。

「区画閉鎖、用意」

船長が命じると、次席航海士が水密扉閉鎖器に手をかけた。コックを引けば、船底の全区画の水密扉が閉ざされます。

森田船長は船内電話機を手に取りました。ブリッジと機関室を結ぶ、いわばホット・ラインです。

「ロクさん、レディーのご機嫌はどうかね」

と、船長は微笑みながら、朗《ほが》らかな声で船底の花井機関長に語りかけました。すぐに伝声管から、やはり明るい声が返ってきた。

〈最高だね。オペラでも唄っているみたいだな。そっちの様子はどうだい〉

私たちはあっけらかんとした老船員の会話を、黙って聞いていました。

「話の通じぬ鯨《くじら》が三頭も待ち伏せている。ジェントルマンかどうかは、まだわからない。いちおう区画を閉鎖するが、ロクさんはどうするね」

〈つまらんことは聞くなよ、船長。レディーのご機嫌うかがいは俺の仕事だ〉

「では、閉めてもいいかな」

〈どうぞ。こんなべっぴんと心中できりゃ、本望だ。俺は、その鯨がジェントルマンじゃねえほうがいいな。勝手だけどよ〉

受話器を置くと、船長は次席航海士に区画閉鎖を命じた。

コックが引かれた。圧力計が回転し、低い唸りを上げて水防区画が閉ざされました。船の平面図を描いた区画表示板に、ひとつひとつ赤いランプが灯っていった。

「乗客たちが甲板に出ていますが、どういたしますか」

と、私は船長に訊ねました。

霧はすっかり晴れて視界は良好です。もし敵の潜望鏡に大勢の民間人の姿が見えたなら、攻撃は加えられないかもしれない、と思った。

「そのままでよろしい。指示を出すのはやめておきましょう」

いったい何百人の乗客が甲板にいたのでしょうか。雨が上がりうねりが静まって、船内に詰めこまれていた人々は続々と甲板に出てきていた。

「回避行動をとれば甲板は危険ですが」

「いや、それはしない。弥勒丸は半速のまま直進します」

船長の意志に逆らう者は誰もいませんでした。

弥勒丸は月光にさんざめく海の上を、堂々と進んで行った。

「ハーフ・アヘッド。半速前進」

「よォそろォー」

私たちはそれぞれの位置に足を踏みしめたまま、黙って確実な死を待ったのです。

これは名誉である、と私は思った。栄光の死である、と。

なぜなら、弥勒丸とともに沈むのは、二千三百人の命だけではなかったから。平和を愛することの尊厳、戦わずして死する者の勲《いさおし》を与えられて、私は死ぬのだと思ったから。身も心も、これほど美しく清らかな女性を私は知らなかった。その胸に抱かれて死ぬことは、人間としてこのうえ望むべくもない幸福であるとさえ思ったのです。

栄光のパッセンジャー・シップ弥勒丸は、地球上のあらゆる不条理と矛盾を呑みこんで沈んだ。

彼女はたったひとりで、世界を相手に戦ったのです。そして矜《ほこ》り高く、死んだ——。

宋英明はそこまで話しおえると藤色のサングラスをはずし、片手で瞼を被った。

低い嗚咽に合わせて、右の眉から頬にかけて刻まれた古傷が慄えた。

「わかりますか。私は決して偶然を信じない」

老人の言葉の重みを、律子は胸に受けとめた。

昔の文学者が言ったように、偶然はすなわち神の意味だろうかと思う。いや、やはり神の意志をも含む、すべての偶然という意味なのだろう。

そう、すべては人間の意志によるのだと、宋英明は言っているのだ。

「弥勒丸は二千三百人の命とともに、世の中のあらゆる不条理を、あの美しい船体のうちにことごとく呑みこんで沈んだのです。夜の海を涯《はて》もなく漂って、中国人のジャンクに救け上げられるまで、私はそれだけを考えていた。不条理。矛盾。空にも海にも、月にも雲にも星々にも風にも、何ひとつ不条理はないというのに、それらに包まれて生きる人間の営みは矛盾だらけなのですよ。弥勒丸は美しすぎた。人間が作り出した、もっとも美しい芸術品だと私は今も信じている。そしておそらく、その美しさを自覚していた彼女は、ああいう形で不条理に抗ったのでしょう。ですから――」

と、宋英明は軽部と律子に、初めて慈愛に満ちた瞳を向けた。

「ですから、弥勒丸を海底から引き揚げるのは、私の務めだと思った。いや、人類の義務であると、私は思ったのですよ」そこまで言うと、宋英明は葉巻に火を入れ、ソファから立ち上がった。

「報酬は受け取って下さい。どうも、ありがとう。心から感謝します」

宋はベイ・エリアのイルミネーションに彩られた窓辺に立って、葉巻を吹かした。

「正木さん――」

律子は思わず、老人の名を呼んだ。とたんに宋の中国服の背が叩かれたように伸び、吐き出す煙とともにまたしおたれていった。

「ありがとう、久光さん。あなたはやさしい人ですね。生きて再び、その名を呼ばれるとは思わなかった」

振り向きもせずに、宋英明は右手を軽く挙げ、「再見《ツアイチエン》」と言った。

「ツァイチェン」

軽部は小さく答えて立ち上がった。

「失礼しよう、リッちゃん」

「でも――」

言いかけて、もうここにとどまる理由は何もないのだと律子は思った。心は残ったが、言うべき言葉を探すことはできなかった。

ともかく、この老人の強固な意志に引きずられて、弥勒丸は引き揚げられるのだ。

部屋を出るとき、律子は振り返って宋英明の後ろ姿を見た。去りかけて後ろを振り返ったことは、生まれて初めてのような気がした。

宋は窓辺に佇《たたず》んだまま、思いがけずに小さな背中を丸めていた。

この光の渦の向こう側に、私たちが忘れてきたものは、いったい何？

軽部の後を追って真夜中のペーブメントを歩きながら、律子はベイ・エリアの輝きを振り返った。

「どうした？」

恋人は立ち止まってくれた。

「あのね、順ちゃん。私、やっぱり間違っていなかったわ」

「何が」

あなたを愛し続けてきたことよ、と言いかけて、律子は目を上げた。夜空の高みから星が降り落ちてきた。

過去などきれいさっぱり忘れて、新しい時代の繁栄を求めるような生き方は、自分にはできないと思う。愛の記憶に悩みさいなまれながら過ごした十五年は誤りではなかった。

「忘れることは、やっぱり罪だと思うわ」

忘却によって幸福を獲《か》ち得た多くの日本人のことを言ったわけではなかった。だが軽部はそう誤解した。

「それを僕らが指弾する権利はないんじゃないか。僕らは戦後の繁栄の申し子なんだから」

何て鈍感な男。アナログで軽薄で、エゴイストである上に近ごろでは自己喪失者というおまけまでついた。

だが、そんな男を今も愛している。

「ところで、これからどうするんだ」

ヘッドライトが恋人の顔を照らして過ぎる。律子はさして考えるまでもなく答えた。

「とりあえず、あなたを愛し続けるわ」

「とりあえず、は余計だろう」

「いいえ。それ以上の約束はできないから」

「一緒に暮らしたいんだが」

嬉しい言葉だが、安易に受け容れてはならないと律子は思った。

「そういう意味じゃないわ。あなたを愛し続ける必要はあるけど、あなたのものになりたくない。あなたを私のものにもしたくはないわ」

忘却は苦悩から免《まぬか》れる早道にちがいない。だがこの人は、その道を選んだために、アナログで軽薄で、エゴイストである上に自己喪失者にまで成り下がってしまったのだ。

忘却をせずに悩み続けてきた自分は正しかった。

ふいに涙がこみ上げて、ベイ・エリアの灯を滲《にじ》ませたのは、決心のせいではなかった。いつか口にした中島吾市のパンの味が、ありありと甦ったからだった。

「順ちゃん。私、あなたを捨てるわ」

軽部は立ちすくんだ。たぶん、まったく思いがけぬ言葉だったのだろう。

「おいおい、復讐かよ」

「まさか。そんなに安い女じゃないわよ。私は私自身のために、あなたを捨てるの。ただし――」

「ただし？」

「あなたのことを愛し続けるわ。決して忘れない」

これでいい。探しあぐねていたジグソーパズルの最後の一片が、ぴたりと嵌《は》まった。

「あなたも、なるべくそうしてね」

とっておきの笑顔を、この人に見せてやろう。律子はにっこりと笑って、タクシーのヘッドライトに手を挙げた。

「おい」と、恋人は闇の中に佇んだまま呼び止めた。

何か気の利いた別れの言葉を言わねばならなかった。「あなたを捨てるわ」では後味が悪すぎるし、耳に残る「再見《ツァイチエン》」では意味がちがうと思う。

タクシーの窓を開けて、律子は叫んだ。

「よー、そろー」

何て素敵な別れの言葉。

タクシーは恋人を置き去りにして走り出した。

行先を思案しながら、ともかく振り返るのはよそうと律子は思った。

そう、ともかくレインボーブリッジを渡って、光の中へ。

夜の涯に

暗えなあ
まっくらだ
海はどろどろの油だらけだし
空には煙がたちこめている
もしかしたら　俺はもう死んじまってるのかな　ここは三途《さんず》の川なんかな
いや　やっぱちがう
ついさっきまで　泣き声や叫び声が聴こえてたもんな　少しずつ静かになって　俺ひとり
になっちまったんだ
そうか　ひとりずつ　みんなむこうに行っちまって　俺だけがまだこっちにいるんだ　い
ってえ何があったってんだよ　何が起こったってんだ
どっかあんて爆発して　海ん中に引きずりこまれて　どこまでも沈んでって　ああこれで
一巻のおわりだと思ったら　こんどはすげえいきおいで　波の上に浮き上がった

弥勒丸が沈んじまったんか
うそだろ　そんなこと　あるはずねえよな
でも　どこにもねえんだ
あの満艦飾の光がよ　どこにもねえんだ
まっくらなんだよ

ああ　おとっつぁん
やっと迎えにきてくれたんか　待ちくたびれたぜ
見てくれ　このざまを
弥勒丸が沈んじまったとよ　うそじゃねえって　ほら　どこにもいねえじゃん　いくら忙しいからって　たったひとりのベーカーを海にふり落として　行っちまうわけはねえよな
だからやっぱ　沈んじまったんだよ
情けねえよなあ　あんなきれいな船を　ぶっこわして　海の底に沈めちまうなんて
なあ　おとっつぁん
がきのころ　大桟橋に浅間丸を見に連れてってくれたよな　覚えてるかい
一生にいっぺんでいいから　あんな船に乗ってみてえって　おとっつぁんはしみじみ言ってた　沖仲仕だって海の男のはしっくれなんだから　そのぐれえの夢は見たってよかろう

って
ほめてくれよ　おとっつぁん
俺　弥勒丸に乗ったんだぜ　あの浅間丸よりもっとりっぱな　太平洋航路のエースだ
どうして乗れたんかって？
ふしぎだろ　パン屋の小僧に出されたはずの俺が　どうやって弥勒丸に乗ったか
俺な　一生けんめいにがんばって　日本一のパン焼きになったんだ　ほんとだぜ　山下町のニューグランドは　日本一のホテルだから　あそこのベーカーは日本一の職人にきまってるんだ
全国品評会で　金賞ももらった　それもよ　菓子パンの部と食パンの部の両方だぜ
ロールパンの部は帝国ホテルのチーフベーカーにとられちまったけど　それだって俺は銀賞だった　だから弥勒丸に乗れたんだ
俺を引き抜きにきた大山さんていうシェフも言ってくれた　太平洋航路のエースにふさわしいベーカーは　おまえしかいないって　いやだと言うんなら　パリかロンドンに行って外人のベーカーを探すほかはねえって
俺は日本一のパン焼きさ　いや　もしかしたら世界一かも知んねえ
いつか世界一周の航海に出たら　世界中のパンを食って　そのことをはっきりさせてやろうと思ってたんだ

でも　もうだめだ
弥勒丸が　沈んじまった

誰だよ　どこのどいつだよ　こんなひでえことをしたのは
とりかえしのつかねえことじゃねえのか　そうじゃねえのかよ
戦争が終われば　もっといい船が造れるとでも言うんか　冗談じゃねえ　百年たったって
千年たったって　弥勒丸みてえなべっぴんを誰が造れるもんか
がきのころから　毎日毎日　港にやってくる世界中の船を見てきた俺が言ってるんだ　ま
ちがいねえって　あれよりきれいな船を　人間が造れるはずはねえって
いくら殺し合いの戦争だからって　やっちゃいけねえことってあるだろ　弥勒丸に乗り組
んでいた海軍士官も言ってたよ　日本が戦艦大和を造ったのはわかるけど　弥勒丸を造っ
たのは　信じられんって
こわしちゃだめじゃねえか
誰だよ　どこのどいつだよ　こんなひでえことしやがったのは
なあ　おとっつぁん
この海は日本に続いてるんだろ　だったら　俺のなきがらは　横浜の港に流れつくかも知

んねえな　どんぶらこ　どんぶらこって
小学校を出て　伊勢佐木町のパン屋に小僧に行けって言われたとき　どうして俺が喜んだか知ってるかい
パンが食えるからじゃねえよ　パンは外国人にとっちゃ米の飯みてえなもんだから　うまくすりゃあ外国航路の船に乗れるかも知んねえって　思ったんだ　どうだい　すげえだろ
俺は　その通りにしたんだ
ニューグランドにやってきた外人のお客さんは　みんなほめてくれた　ワンダフル　ワンダフル　このパンはうまいって
もし弥勒丸が　サンフランシスコ航路に就航してたら　やっぱりみんながほめてくれたはずだよ　ワンダフル　ワンダフル　このパンはうまいって
弥勒丸は世界一の客船だから　いつかはアメリカの大統領も　イギリスの王様も　お客さんになったと思う
俺　きっと言わせたぜ　ワンダフル　ワンダフルって
暗えなあ
まっくらだ
海はどろどろの油だらけだし

空には煙がたちこめている
誰かいるかあっ
おおい　誰もいねえのかあっ
さっき　正木中尉を見たのは　夢かな
いいや　たしかにいた　すぐそばに
子供を両腕にかかえて　立ち泳ぎをしてた
あきらめるな　あきらめるな
じきに助け舟がくる　あきらめるな
中尉さんは　そう叫び続けていた
助け舟は来たんだ　でも　そいつは鯨みてえな　敵の潜水艦だった
甲板からロープを投げて　カム　カムって言いやがった
でも　誰ひとりとしてそのロープにすがろうとはしなかった　俺も　やつらに助けてもら
おうとは思わなかった
弥勒丸に悪さをしたのは　こいつらにちがいねえと思ったからさ　そんな野蛮なやつらに
命を助けられたくはなかった
そう考えたのは　俺だけかも知んねえけど

中尉さんや　ほかの連中　子供らも　みんな　生きて虜囚のはずかしめをうけずってやつだと思うよ
中尉さんは　子供を抱えたまま　潜水艦に背を向けて泳ぎ出した　みんながその後に続いた　そしてひとりひとり　まっくろなうねりの中に　頭を沈めていった
いちど沈んでから　手が出て　足が出て　もういっぺん頭が出て　それを何べんかくり返すと　見えなくなった
あきらめるな　あきらめるなっていう　中尉さんの声も　そのうち聴こえなくなっちまった
おおい　誰かいるかあっ
誰も　いねえのかあっ
おおい　おおい
俺は　忘れねえぞ
もし　あきらめずに泳ぎ続けて　ひとりだけ生き残っても　俺は　忘れねえ
俺は　ばかだから　何もできねえけど　みんなが忘れちまっても　俺は忘れねえ
俺にできるのは　パンを焼くことだけさ　だから一生　じじいになるまで　弥勒丸のパン

を　焼き続けてやる
うらみつらみじゃねえよ　弥勒丸の厨房で　俺が　大統領や　王様や　いつか天皇陛下にも　食べてもらうはずだったのと　そっくり同じパンを　生涯　毎日　焼き続けてやる
俺にできるのは　それだけさ
意地でもねえよ　俺は　ベーカーだから　弥勒丸のベーカーなんだから　あたりめえだろ
いまさら　ほかの何になれるってんだ
この油だらけの海で目がつぶれても　咽がただれて　声が出なくなっても　パンは焼けるさ

誰もいねえみてえだよ　おとっつぁん
みんな　死んじまった
天国に　海は　あるんか
だったら　俺は　戦争のねえ天国の海で　弥勒丸に乗る　そのほうが　生きるよりも　ずっといい
さあ　早えとこ　連れてってくれよ
銅鑼《どら》が　鳴ってるじゃねえか
アンカーが　巻かれて　ギャングウェイが　するすると　引き上げられて　ほら　ホイッ

スルだ
微速前進　取舵いっぱい　よォーそろォー　じゃあみんな　サンフランシスコまで　はり
きって行こうぜ
よォーそろォー
よォーそろォー

（シェエラザード・了）

解説

吉野 仁

世界史の本を開くと、まるで戦争の歴史であるかのように、争いを繰り返してきたことが記されている。異なる部族、民族、国民を殺し、その文化を壊し、支配しようと戦ってきたのだ。

もちろん、殺戮《さつりく》と破壊だけが人類の歴史ではない。ありとあらゆる営みすべてが歴史を動かしてきたはず。どんな悲惨な事件が起ころうとも、人は生活を続けていかなくてはならない。子供を産み、育て、養い、老いていく。飯を食い、恋する相手を求め、娯楽を愉《たの》しむ。殺戮へと導く憎しみや悪意ばかりではなく、愛や美意識など豊かな感情を失わないからこそ、いくつもの素晴らしい文化を産み出してきたのだろう。世界史の真の作り手とは、そうした人々かもしれない。

本作『シェエラザード』は、第二次大戦中に沈没した〈弥勒丸〉にまつわる過去と現在の秘話を綴った大作長編だ。まさに戦争という過酷で醜い現実の向こう側にある美しくも切ないロマンが描かれている。書物に名前が載ることはないだろうが、歴史そのものを生きてきた人々の物語なのである。

すでに作者の傑作群に親しまれている読者には多くを説明する必要もないだろうが、本作には、浅田次郎作品における特徴的なエッセンスがぞんぶんに盛りこまれている。『日輪の遺産』『きんぴか』など初期のピカレスク・ロマンから、『地下鉄《メトロ》に乗って』『鉄道員《ぽっぽや》』といったファンタジー趣向やレトロ風味の感じられる名作まで、それぞれで発揮していた持ち味は本作でも健在だ。

加えて、作品を支えているのはモデルとなった歴史上の事件があるということだろう。第二次大戦中に起きた「阿波丸」の悲劇を素材にしているのである。戦時中とはいえ、多くの民間人が命を落としたのである。「阿波丸」は、連合国の要請で捕虜や民間人への救援品の輸送にあたっていた。国際法でその安全が保障されていたにもかかわらず、昭和二十年四月一日夜半、台湾海峡で米国潜水艦クイン・フィシュ号の攻撃にあい沈没したのである。じつに二〇四四人の命が奪われたという。作中「弥勒丸」という名で登場するが、本作は、この「阿波丸」の事件を下敷きにしているのだ。

物語は、従業員八名という小さな金融会社の幹部ふたりが、沈没した弥勒丸をサルベージ（引き揚げ）する資金として百億円貸してほしいと頼まれる場面からはじまる。相手は中華民国政府の宗英明という老人で、すでに大手商社などにも同じ話を持ちかけていたらしい。

町金融「栄光商産」の社長、軽部順一は、さっそく新聞社に勤める元恋人、久光律子に話の裏を取るための資料調査を依頼した。すると、弥勒丸沈没までの経緯には、多くの秘密が隠されていることが分かる。背後には、いわゆる「M資金」詐欺事件（終戦後、米軍が日本から差し押さえた巨額の秘密資金が存在するという噂を悪用した詐欺）と同じような怪しさが匂っていたのだ……。

ちょうど本書が刊行された時のインタビューで作者は興味深い話を紹介している。〈僕、二〇代の頃に実際にこの引き揚げ話にぶつかったんですよ。「弥勒丸」の原型になっているのは「阿波丸」という船なんですが、この「阿波丸」に財宝が積んであるから引き揚げないか、っていう話。この小説の中にも書いてるけどM資金と同じように、この手の話は昔からあるんです。僕が当時勤めていた会社にも、この小説の中にあるのと同じような状況で話が来たんですよ。これは何て言うのかね、M資金と並ぶ現代の〝都市伝説〟なのかな。いつの世にもあるんだよ。「実はここだけの話ですが」って、ある日突然知らない人が来てさ、「あなたを見込んで」という話が〉

現実に、伝説のタイタニック号がサルベージされたり、深海に沈んだ戦艦大和の遺留品が引き揚げられたりしているので、あながち奇想天外な話ではないのだろう。だが、そこに「財宝が積んである」となるとただ事ではない。浅田氏は〈その時の話がずっと頭にあって、これは小説にしたら面白いんじゃないか〉と思っていたという。冒頭から妙にリアルな展開なのは、事実をもとにしているからなのだ。

だが、本作の面白さは、その実話を意外性に富んだフィクションに仕立てたところにある。

場面は昭和二十年三月へとさかのぼり、極秘命令を受けた海軍中尉正木幸吉が弥勒丸に乗り込む場面へと転じていく。

弥勒丸は、もともとは豪華客船として建造されながら、完成と同時に太平洋戦争が始まったため、すぐに赤十字のマークが付けられた病院船として南太平洋の島々を行き来することになる。さらに連合国側の捕虜向けの救援物資を運ぶために、赤十字が緑十字に直され、ナホトカから日本海を南下し、東南アジアを一周していく予定となったのだ。

この船がなぜ、沈没することになったのか、乗船していた人々の運命はどうなったのか。いくつもの謎をめぐり、物語は、現代と過去をつなぐ見えない糸をたどっていく。

冒頭こそ、いわゆる昭和史ミステリといった趣《おもむ》きを予感させながら、やがて作者ならではの人間ドラマへと展開していくのだ。

弥勒丸の生き残り乗組員、厨房《ちゅうぼう》でパンを焼いていた中島吾市、そして、大本営直轄《ちょっかつ》の特務機関に所属していた土屋和夫など、それぞれの過去と現在が語られていく。彼らと軽部順一や久光律子との出会い、もしくは軽部の相棒である日比野義政との意外なつながりなど、偶然と必然をこえた奇跡が次々に起こる。物語を追うごとに、理不尽な運命に翻弄《ほんろう》されながら激動の時代を生きた者たちの苦い人生が浮きぼりにされ、彼らが受けた受難とささやかな幸福を感じさせるロマンス・シーンが胸に迫ってくる。

先のインタビューで浅田氏は、どこまでも悲惨な話ゆえに、あえて思いっきりロマンチックなエピソードを盛りこんだというような話をしていた。

〈「阿波丸」の事件っていうのは、調べていけばいくほど目を背《そむ》けたくなるような悲惨な事件ですよね。これは間違いなく、史上最大の海難事故ですから。戦時中に起こった出来事だから大きく扱われなかったというだけで、二千何百人がいっぺんに死んじゃった海難事故ってのは他にないわけです。もちろん、軍艦ではなくて民間の船としては史上最大という意味ですけど〉

たとえば、日銀の職員だった土屋和夫がシンガポールの看護婦である島崎百合子と恋におちる場面について、〈あのくらいの歯の浮くようなロマンスがないと、なかなか悲惨さを中和できない〉と述べていた。

そのあたり、作者は、戦争中に起きた悲劇をそのまま小説に書きかえているのではない。現在に生きるわれわれ自身の問題として描いている。単なるノスタルジーやロマンではなく、物語のなかに「いつまでも忘れてはならない」というメッセージを込めているのである。

浅田次郎氏による痛快なエッセイ集『勇気凜凜ルリの色』の第二巻に「三たび忘却につい

て」という項がある。取りあげているのは、歴史的な極東軍事裁判（東京裁判）の舞台にもなった陸上自衛隊市ケ谷駐屯地一号館取り壊し問題だ。そこで、〈戦争も戦争裁判も、もはや取り返しようのない歴史である。しかし、だから忘れて良いというほど軽い歴史ではあるまい〉と述べていた。

〈現実に多くの国民が忘れてはならないことを忘れてしまったからこそ、戦後五十年を経た今日でもなお、さまざまの問題が起きているのではないか。過去の労苦を忘れて繁栄したわれわれが忘れても、基地問題は沖縄県民にとって、忘れようもない現実なのである。朝鮮人慰安婦の問題にしても然り、中国残留孤児にしても然り、われわれが勝手に忘却したものは、余りに多すぎる〉

本作でもまた、同時代に生きてきたほとんどの人々が忘れてしまっても、いまだ現実の問題として向きあっている人たちがいることを物語っている。作者は、過去と現在を交互に描いていくという重層的なつくりの話運びにより、戦後われわれが忘却してしまった歴史の問題を描こうとしているのではないだろうか。歴史の本には載らないが、歴史そのものをつくってきた人たち。その過去と現実をおろそかにしてしまっては、未来はない。

そして本作ではレディ「弥勒丸」とともにもうひとりのヒロインである久光律子の存在が印象的だ。ひたむきで健気《けなげ》に自分の正しい生きる道を他人に頼らず切り開こうとする。最近、ようやくこうした女性がクローズアップされるようになってきたようだ。口先ばかりで頼りのない男連中に活力や癒《いや》しを与えてきただけではなく、彼女たちもまた重要な歴史のつくり手なのである。

なにより、タイトルになっている「シェエラザード」だが、ご存知のように『千夜一夜物語』〈アラビアン・ナイト〉で夜ごとに面白い話を王様に聞かせた王妃の名前だ。この物語をもとに、ロシアの作曲家リムスキー・コルサコフが交響組曲「シェエラザード」をつくった。作中、弥勒丸の船内で、この組曲のレコードがいつも流されていたというエピソードがあり、ちょうど映画におけるテーマ音楽のようなムードを生みだしている。

本作は、スリリングで意外性に満ちた展開の面白さもさることながら、数奇な人間模様の妙と「シェエラザード」の調べとともに醸しだされる哀愁感が切ない長編大作である。

初出
この作品は学芸通信社の配信により、東京中日スポーツ・中日スポーツ（平成8年10月22日～平成9年10月12日）、愛媛新聞、岩手日報、新潟日報、石巻新聞、日本海新聞、福島民報、西日本スポーツなどに、順次連載されたものです。

本書は一九九九年十二月に小社より刊行されたものです。

JASRAC　出0214233-302

|著者|浅田次郎　1951年東京都生まれ。1995年『地下鉄《メトロ》に乗って』で吉川英治文学新人賞、1997年『鉄道員《ぽっぽや》』で直木賞、2000年『壬生義士伝』で柴田錬三郎賞をそれぞれ受賞する。著書は『蒼穹の昴』『珍妃の井戸』『王妃の館』『オー・マイ・ガアッ！』『椿山課長の七日間』など多数ある。

シェエラザード（下）

浅田次郎《あさだじろう》

2002年12月15日第1刷発行
2003年2月21日第2刷発行

発行者――野間佐和子

発行所――株式会社 講談社

東京都文京区音羽2-12-21　〒112-8001

電話 出版部 (03) 5395-3510
販売部 (03) 5395-5817
業務部 (03) 5395-3615

Printed in Japan

講談社文庫

定価はカバーに表示してあります

デザイン―菊地信義

製版――豊国印刷株式会社

印刷――凸版印刷株式会社

製本――有限会社中澤製本所

落丁本・乱丁本は購入書店名を明記のうえ、小社書籍業務部あてにお送りください。送料は小社負担にてお取替えします。なお、この本の内容についてのお問い合わせは文庫出版部あてにお願いいたします。　☆☆

ISBN4-06-273610-1

講談社文庫刊行の辞

二十一世紀の到来を目睫に望みながら、われわれはいま、人類史上かつて例を見ない巨大な転換期をむかえようとしている。

世界も、日本も、激動の予兆に対する期待とおののきを内に蔵して、未知の時代に歩み入ろうとしている。このときにあたり、創業の人野間清治の「ナショナル・エデュケイター」への志を現代に甦らせようと意図して、われわれはここに古今の文芸作品はいうまでもなく、ひろく人文・社会・自然の諸科学から東西の名著を網羅する、新しい綜合文庫の発刊を決意した。

激動の転換期はまた断絶の時代である。われわれは戦後二十五年間の出版文化のありかたへの深い反省をこめて、この断絶の時代にあえて人間的な持続を求めようとする。いたずらに浮薄な商業主義のあだ花を追い求めることなく、長期にわたって良書に生命をあたえようとつとめるところにしか、今後の出版文化の真の繁栄はあり得ないと信じるからである。

同時にわれわれはこの綜合文庫の刊行を通じて、人文・社会・自然の諸科学が、結局人間の学にほかならないことを立証しようと願っている。かつて知識とは、「汝自身を知る」ことにつきていた。現代社会の瑣末な情報の氾濫のなかから、力強い知識の源泉を掘り起し、技術文明のただなかに、生きた人間の姿を復活させること。それこそわれわれの切なる希求である。

われわれは権威に盲従せず、俗流に媚びることなく、渾然一体となって日本の「草の根」をかたちづくる若く新しい世代の人々に、心をこめてこの新しい綜合文庫をおくり届けたい。それは知識の泉であるとともに感受性のふるさとであり、もっとも有機的に組織され、社会に開かれた万人のための大学をめざしている。大方の支援と協力を衷心より切望してやまない。

一九七一年七月

野間省一

秋元　康　明日は明日の君がいる
荒川じんぺい　週末は森に棲んで
荒川じんぺい　週末は山歩き〈「初めて」からのお役立ちガイド・エッセイ〉
青木　玉　小石川の家
青木　玉　帰りたかった家
青木　玉　なんでもない話
青木　玉　手もちの時間
阿木燿子　ちょっとだけ堕天使
天樹征丸 さとうふみや画　金田一少年の事件簿1〈オペラ座館・新たなる殺人〉
天樹征丸 さとうふみや画　金田一少年の事件簿2〈幽霊客船殺人事件〉
天樹征丸 さとうふみや画　金田一少年の事件簿3〈電脳山荘殺人事件〉
芦辺　拓　殺人喜劇の13人
芦辺　拓　殺人喜劇のモダン・シティ
芦辺　拓　地底獣国《ロスト・ワールド》の殺人
浅田秀子　知らないと恥をかく「敬語」
浅川博忠　小説角栄学校
浅川博忠　小説角福戦争
浅川博忠　小説池田学校
浅川博忠　電力会社を九つに割った男〈民営化の鬼、松永安左ヱ門〉

浅川博忠　人間小泉純一郎〈三代にわたる「変革」の血〉
浅川博忠　自民党・ナンバー2の研究
荒　和雄　銀行マンの掟
荒　和雄　ペイオフ〈あなたの預金が危ない！〉
荒　和雄　勝ち残った中小企業伸びてる女社長
荒　和雄　支店撤退〈銀行の内幕〉
愛川　晶　七週間の闇
安藤和津　愛することと愛されること
安部龍太郎　密室大坂城
安部龍太郎　忠直卿御座船
安部龍太郎　開陽丸、北へ〈徳川海軍の興亡〉
阿部和重　アメリカの夜
麻生　幾　加筆完全版宣戦布告(上)(下)
阿川佐和子　あんな作家こんな作家どんな作家
青木奈緒　ハリネズミの道
五木寛之　恋歌
五木寛之　ソフィアの秋
五木寛之　狼のブルース
五木寛之　海峡物語

五木寛之　風花のひと
五木寛之　鳥の歌(上)(下)
五木寛之　燃える秋
五木寛之　みみずくの大サーカス〈流されゆく日々'76〉
五木寛之　雨の日の珈琲屋で〈流されゆく日々'77〉
五木寛之　真夜中の望遠鏡〈流されゆく日々'78〉
五木寛之　ナホトカ青春航路〈流されゆく日々'79〉
五木寛之　海の見える街にて〈流されゆく日々'80〉
五木寛之　改訂新版 青春の門 全六冊
五木寛之　旅の終りに
五木寛之　野火子
五木寛之　旅の幻燈
五木寛之　メルセデスの伝説
五木寛之　男が女をみつめる時
五木寛之　疾《はし》れ！逆ハンぐれん隊
五木寛之　爆走《ばくそう》！逆ハンぐれん隊
五木寛之　危《あや》うし！逆ハンぐれん隊
五木寛之　挑戦《チャレンジ》！逆ハンぐれん隊
五木寛之　珍道中《ちんどうちゅう》！逆ハンぐれん隊

2002年12月15日現在